機械時代の
アートとデザイン

Art and Design
in the Machine-age

モダン・アート・アンド・デザイン・イン・パリ 1925

MODERN TIMES in PARIS 1925

ごあいさつ

ポーラ美術館は、展覧会「モダン・タイムス・イン・パリ 1925―機械時代のアートとデザイン」を開催いたします。

　1920年代、フランスの首都パリをはじめとした欧米の都市では、第一次世界大戦からの復興によって工業化が進み、「機械時代」と呼ばれる華やかでダイナミックな時代を迎えました。本展覧会は、1920-1930年代のパリを中心に、ヨーロッパやアメリカ、日本における機械と人間との関係をめぐる様相を紹介します。特にパリ現代産業装飾芸術国際博覧会(通称アール・デコ博)が開催された1925年は、変容する価値観の分水嶺となり、工業生産品と調和する幾何学的な「アール・デコ」様式の流行が絶頂を迎えました。日本では1923年(大正12)に起きた関東大震災以降、東京を中心に急速に「モダン」な都市へと再構築が進むなど、世界は戦間期における繁栄と閉塞を経験し、機械や合理性をめぐる人々の価値観は大きく変化していきました。コンピューターやインターネットが高度に発達し、AI(人工知能)が人々の生活を大きく変えようとする現代において、本展覧会は約100年前の機械と人間との様々な関係性を問いかけます。

　最後になりましたが、貴重なご所蔵品をご出品いただいた美術館、博物館、機関、個人の所蔵家の皆様、本展覧会にご参加いただきました作家の皆様、ならびに、本展覧会の開催にあたりご協力をいただきました関係各位に対し、厚く御礼申し上げます。

2023年12月

　　　　　　　公益財団法人ポーラ美術振興財団　ポーラ美術館

Foreword

It is our great pleasure to present the exhibition *Modern Times in Paris 1925 — Art and Design in the Machine-age.*

In the 1920s, Paris underwent rapid industrialization in an effort to reconstruct the French capital in the wake of the First World War, ushering in a flourishing and dynamic era known as the Machine-age. This exhibition examines various aspects of the relationship between machines and people in the 1920s and '30s with a focus on Paris as well as other parts of Europe, the U.S., and Japan. *The International Exhibition of Modern Decorative and Industrial Arts (the Art Deco Exhibition)*, a world's fair held in Paris in 1925, was an important turning point in changing attitudes, as it heralded Art Deco, a geometric style inspired by machines. After the Great Kanto Earthquake, which occurred in 1923, Japan underwent rapid modernization. In the brief period of prosperity between the two world wars, ideas about machines and rationality changed drastically. With great technological advances such as computers, the Internet, and AI, which promises to transform our lives even further, this is perhaps a good time to revisit the art and design of 100 years ago and reconsider the connection between machines and humans.

We would like to express our sincere gratitude to museums, institutions, private collectors, and the participating artists for so generously lending important works to this exhibition. We deeply thank all who have cooperated to make the exhibition possible.

December 2023

Pola Museum of Art, Pola Art Foundation

展覧会｜Exhibition

モダン・タイムス・イン・パリ 1925
機械時代のアートとデザイン

会期：2023年12月16日（土）－2024年5月19日（日）
会場：ポーラ美術館
主催：公益財団法人ポーラ美術振興財団　ポーラ美術館
後援：在日フランス大使館／アンスティチュ・フランセ

企画：
東海林洋（ポーラ美術館 学芸員）
山塙菜未（ポーラ美術館 学芸員）

会場構成：中原崇志、永田耕平

施工：
株式会社東京スタヂオ
合同会社サムサラ

グラフィックデザイン：
前田豊、林智凱、磯野正法（氏デザイン）

Modern Times in Paris 1925
Art and Design in the Machine-age

Period: Sat., December 16, 2023 – Sun., May 19, 2024
Venue: Pola Museum of Art
Organizer: Pola Museum of Art, Pola Art Foundation
Supported by Ambassade de France au Japon /
Institut français du Japon

Curator:
Shoji Yoh（Curator, Pola Museum of Art）
Yamabana Nami（Curator, Pola Museum of Art）

Exhibition Design:
Nakahara Takashi, Nagata Kouhei

Construction:
Tokyo Studio Inc.
SAMUSARA

Graphic Design
Maeda Yutaka, Lin Chihkai, Isono Masanori（ujidesign）

CONTENTS

Now and Then

「モダン・タイムス・イン・パリ 1925」へのイントロダクション

東海林 洋

小学生の頃に繰り返し見た映画のひとつに、個性的な歩き方をする口髭姿の剽軽な男性を主人公にしたサイレント・コメディのシリーズがあった。後にその主人公が映画の監督も務めていたことを知るのだが、幼い私は製作の背景など知らず、男性が小さな事件に巻き込まれながらも喜劇風の機転によって切り抜ける様子に釘付けになって楽しんでいた。その中でも、主人公が工場に勤務する労働者を演じた作品は特に気に入っていて、作業中にベルトコンベヤーに流され、巨大な歯車に巻き込まれてしまう1分足らずのシーンだけでも、何度巻き戻して見たかわからない。歯車の隙間から戻った男はまるで機械化されてしまった人間のように他の工具の体の一部をスパナで締め付け、おかしな動きで屋外へと飛び出してしまう。主人公はノイローゼ患者として病院へと送られるが、病院を抜け出して街で貧しい女性と出会い、彼女とともに生活を送りながら人間性を回復していく。

　機械を使役するはずの人間が、そのシステムに巻き込まれて「機械化」してしまう様子をシニカルに描き出したこの映画「モダン・タイムス」が公開されたのは1936年のアメリカである[1]。アメリカは第一次世界大戦に参戦しながらも、戦場となることなく経済的な利益を上げ、新興の国家からヨーロッパを凌駕するほどの工業生産国として成長した。熟練した職人が少なかったため、不慣れな者でも短期間の修練で使いこなすことのできる産業の機械化は、合理的で画期的な手段として称賛された[2]。この時代に「マシン・エイジ」という言葉が生まれ、機械文明の称揚が始まる。経験と伝統によって生み出される工芸作品よりも、合理化と画一化によって大量に生産されるものに価値を見いだし、新しい素材を採り入れ、機械や摩天楼のフォルムを模し、さらに巨大化した機械や高層建築、巨大な橋という機械が生み出す新たな風景を美しいものとして讃えるという価値観の変容が起きた。

　こうした機械への礼賛は、第一次世界大戦を経験した国々の間で、それぞれ様態を変えながら同時多発的に現れる。イタリアでは先んじて1909年に「未来派宣言」をフランスの日刊紙『ル・フィガロ』に発表したマリネッティら未来派が、機械が生み出すダイナミズムやスピードを新時代の象徴として賛美し、1915年頃までのあいだいくつもの宣言を出してヨーロッパ各国、そして日本へも影響を与えていた[3]。

　18世紀後半からいち早く産業革命を進めたイギリスに続き、19世紀前半からドイツは、「第二次産業革命」と呼ばれる石油や電気を動力源として製鉄などの重化学工業化を進めていた。フランスではやや遅れて機械化が始まり、1850年代から鉄道網が各都市結びつけて産業の発展を支えた。19世紀後半にようやく首都パリを中心に経済が活性化し、1855年以降、何度も開催された万国博覧会に見られるように、19世紀後半にはイギリスとの競争を繰り広げていく。欧米列強の経済と産業の競争は、世紀転換

Fig. 1　映画「バレエ・メカニック」フェルナン・レジェ監督、ダドリー・マーフィー監督、マン・レイ撮影 1924年公開　白黒　17分

期を経て20世紀初頭には軋轢が深まり、1914年に第一世界大戦が勃発する。この人類史上初めての総力戦となった戦いでは、航空機や戦車という人間の力を凌駕する大型の機械が戦場に投入された。前線の歩兵たちは塹壕に潜み、いつ来るともわからない巨大な戦車や空から降る爆撃を待ち構え、多くの者が戦闘によって命を落とした。

　大戦後のヨーロッパは、芸術だけではなく、産業やライフスタイルに至るまで、来るべき新時代に向けた価値観の刷新を目指し、機械文明に関わる要素が芸術に入り込んでいく。ドイツでは1923年にはバウハウスが「芸術と技術の新たな統合」を掲げ、やがてデザインの側面から各国に影響を及ぼしていった。辛くも戦勝国として好景気を迎えた復興期のフランスでは、1925年に開催されたパリ現代産業装飾芸術国際博覧会（通称アール・デコ博）を頂点として、建築や室内装飾、日用品において幾何学的なフォルムや文様が流行する。しかし、1929年のニューヨーク株式市場の大暴落に始まった世界恐慌によって、それまで好景気に沸いていた欧米列強諸国と植民地が大きなパラダイムシフトを迎える。悲劇なくして喜劇は生まれない。映画「モダン・タイムス」の物語は、第一次世界大戦後のつかの間の繁栄からの急速な転落に至る、機械文明と資本主義への懐疑というパラダイムシフトから生み出されたのだ。

「モダン・タイムス・イン・パリ 1925」

　この映画のタイトルを引用した本展覧会「モダン・タイムス・イン・パリ 1925」は、19世紀末以来、新しい芸術の中心地となってきたパリを中心として、機械時代が美術やデザインに与えた影響を考えるものである。1920年代にはアートという人間の活動における最も有機的な営みの中に機械という無機的な要素が関係してくる。第一次世界大戦中にチャップリンの映画に魅了されたフェルナン・レジェは、1924年に発表した映像作品「バレエ・メカニック」（機械的なバレエ）に、「シャルロ」と名付けた操り人形を登場させている（Fig. 1）。この時代における機械と人間の関係を考えようとする試みは、人間の創造性を問い直すことと言い換えることもできるだろう。展覧会の第1章「機械と人間:近代性のユートピア」は、19世紀末から第一次世界大戦後の1920年代に普及した航空機や自動車という機械を軸に、そのダイナミズムに刺激を受けたアーティストの作品を展観する。早くはクロード・モネをはじめ印象派の画家たちが鉄道や巨大なターミナル駅という新しい建造物やライフスタイルに近代性（モダニティ）を見いだしていたが、レジェのように第一次世界大戦を経験した20世紀初頭の前衛芸術家たちは、機械が持つ質感や可動性に魅せられていった。同じ頃、技術の発達とともに、機械を設計する技師たちも造形的な造形美を求め始めている。自動車の普及は、商業的な側面からも機械の造形美の追究を推し進めた。

1. 映画『モダン・タイムス』（Cat. no. 1-08）については、チャップリン協会Chaplin Officeの情報をもとにした。https://www.charliechaplin.com/en/films/6-Modern-Times [2023年11月27日確認]

2. 機械時代についての参考資料は以下。K.G. Pontus Hultén, The Machine: As Seen at the End of the Mechanical Age [Exh. Cat.] New York: Museum of Modern Art, 1968; The Machine Age in America, 1918-1941 [Exh. Cat.] New York: Brooklyn Museum, New York: Brooklyn Museum in association with Abrams, 1986

3. 未来派は1910年代後半にはピュリスムや他の芸術運動からの影響を受け「未来派機械芸術宣言」、1931年には「未来派航空絵画宣言」を発表して活動の幅を大きく広げていった。『未来派1909-1944』[展覧会カタログ]東京:セゾン美術館;札幌:北海道立近代美術館;仙台:宮城県美術館;大津:滋賀県立近代美術館、東京:東京新聞、1992年

もちろん、この「ユートピア」とは機械に対する楽観的なヴィジョンに対するアイロニカルな意味を含んでいる。1926年に製作され、1927年に公開されたフリッツ・ラングの映画「メトロポリス」には、発達した機械文明が支配する未来都市が登場する。大都市メトロポリスは表向きには機械によって管理された、ユートピア都市なのだが、その地下では大量の労働者が奴隷として都市のために働かされているディストピアであった。彼らは人間に似せて作られた人造人間マリアに導かれて反乱を起こし、メトロポリスを崩壊させてしまう。機械時代のアートとは、独創性と美意識のもとに作られるアートという人間的な創造行為の領域が、機械によって侵されてしまうという危うさをはらんでいた。その危機感はマルセル・デュシャンが航空機の見本市をともに訪れたブランクーシに対して語った言葉にも明らかだろう。

絵画は終わった。誰がこのプロペラ以上のものを作れるというんだ?
君にできるのか?[4]

ブランクーシは、この言葉に刺激を受け、取り組んでいた鳥の彫刻作品を徐々に単純化し、ついにはプロペラや航空機のような流線形のフォルムそのものを示す《空間の鳥》(Cat. no.1-21)を制作した。また航空機に魅せられたロベール・ドローネーは、1926年に航空写真を活用した、空から捉えたパリの眺望を作品に残している(Cat. no. 1-31)[5]。その翌年にはアメリカの航空機操縦士チャールズ・リンドバーグがニューヨークからパリへの大西洋単独無着陸飛行を実現するなど、機械と科学技術の象徴である航空機に人々の注目が集まった。一方、機械を通して作られる写真や映画、蓄音機のレコードという複製メディアは、機器の発達とともに再生技術が高まり、記録機器も携行可能な形へと改良されるなど、独自の表現が可能となる。1925年には蓄音機の最高峰と呼ばれるヴィクター社の「ヴィクトローラ・クレデンザ」が、ハンブルクではライカ社による携帯型カメラ「ライカA型」が発表され、後に写真家のブラッサイやアンリ・カルティエ＝ブレッソン、木村伊兵衛はライカ社製の携帯型写真機を手に作品を制作していく。機械の発達はオリジナリティに依拠する芸術の在り方に変化を及ぼし始めていた。

前世代の否定

1918年のヴェルサイユ条約によって第一次世界大戦が終結すると、フランスは戦時下の抑圧から解放され、反動的に「狂騒の20年代」と呼ばれる享楽的な風潮が見られるようになる。戦前の文化を否定する動きが、「古典への回帰」、「異国趣味」そして「現代主義」(モダニズム)という大きく分けて3つの方向で現れ、複数の傾向が混成した文

4. これは1912年10月から11月にかけてパリで開催された第4回航空ショウを、デュシャンがブランクーシとフェルナン・レジェとともに訪ねた際の会話であった。Marcel Duchamp, *Duchamp du signe*. Écrits, réunis et présentés par Michel Sanouillet, nouvelle édition revue et augmentée avec la collaboration de Elmer Peterson (Paris: Flammarion, 1994), p.242 [マルセル・デュシャン『マルセル・デュシャン全著作』北山研二訳、未知谷、1995年、pp.359]

5. 本展出品作であるロベール・ドローネ 「版画集」(Cat. no. 1-31)は、1926年に発行した版画集の校正刷をもとにアトリエ・ドローネーの監修のもと妻ソニア・ドローネーの署名を添えて1969年に刊行されたものである

化が育まれていく[6]。造形性の面で前世代を代表するものと見なされたものは、有機的な曲線を特徴とするアール・ヌーヴォーであった。1900年に開催されたパリ万国博覧会を頂点として流行した職人的な技芸が生み出す曲線美を否定するように、戦後には規格化された大量生産品を思わせる幾何学的なフォルムを装飾に採り入れた、後に「アール・デコ」と呼ばれる幾何学的な造形が生まれる。本展覧会の第2章「装う機械：アール・デコと博覧会の夢」とは、1920年代を代表する装飾様式アール・デコを機械時代という側面から捉え直そうとするものである。しかし、この「アール・デコ」という用語が初めて登場したのは1966年にパリの装飾美術館で開催された「"25年"の芸術」[7]展においてであった。カタログの中で、装飾芸術博覧会（パリ現代産業装飾芸術国際博覧会のこと）に現れた「モダン・スタイル」を「アール・デコ（Art Déco）」と呼び変えたことからこの名称が誕生し[8]、今日ではあたかも1920年代を代表する様式であるかのように扱われている。

　「現代主義」（モダニズム）を動機としながらも、「アール・デコ」と呼ばれる装飾芸術のスタイルは、幾何学的な特徴を持ちつつも、近代的な合理性に基づくものではなく、むしろかつて日用品や建築に付随していた伝統的な装飾品やオーナメントを、機械を賛美する時代の流行に合わせて幾何学的なフォルムに置き換え「機械を装った」ものに過ぎない。あるいはルネ・ラリックが1920年代後半から手掛けたオリエント急行やノルマンディー号の装飾、自動車に取り付けるカーマスコットなど、大型化するモビリティという機械を装飾するものでもあった。

近代的理性の批判：シュルレアリスム

　機械文明に刺激を受けた芸術家たちやアール・デコに関係した装飾芸術家たちが、新しい時代の象徴としてそれぞれの形で機械や合理性を賛美する一方、ダダという第一次世界大戦下に生まれた既存の芸術システムを否定する反美学的な運動や、シュルレアリスムというオートマティスムによって人間の無意識という理性の及ばない領域に「超現実」を求め、近代を支える合理性を否定する芸術運動が展開した[9]。

　シュルレアリスムとは特定の形の特徴を共有する様式ではなく、オートマティスムという手法を用いて世界の見方を変えようとする運動である。アンドレ・ブルトンが1925年に発表し1928年に書籍として刊行された『シュルレアリスムと絵画』[10]はシュルレアリスム絵画の造形論ではなく、絵画を通して見いだされる超現実や、マックス・エルンストなど彼らと思想を共有していた作家による試みを紹介するものであった。「作り出す」ことから「見いだす」という行為への転換は、シュルレアリスムの重要な要素である。ダダ・シュルレアリスムは、日用品や機械から機能性を奪い、作者の内的モデルに従って象徴的な意味を見いだしたものを「オブジェ」と呼んだ[11]。オブジェの対象は日用品にとどまらず、カメラという

6. *Art deco 1910-1939* [Exh. Cat.] London: Victoria & Albert Museum, 2003

7. *Les Année "25": Art Déco / Bauhaus / Stijl / Esprit Nouveau* [Exh. Cat.] Paris: Musée des art décoratifs, 1966

8. *Ibid.* p.10

9. 東海林洋「シュルレアリスムから絵画、超現実主義から「シュール」へ」『シュルレアリスムと絵画』（展覧会カタログ）箱根：ポーラ美術館、2019年、pp.14-17

10. André Breton, *Le Surréalisme et la peinture, Paris*: NRF, 1928

11. アンドレ・ブルトンが「オブジェ」の概念を提示したのは1936年だが、こうした思考はレディ・メイドにおける物体性や主体性に対する客体性をめぐってダダからシュルレアリスムの運動を貫くものである。*Dictionnaire de l'objet surrealiste* [Exh. Cat.]Paris: Centre Pompidou, Paris: Centre Pompidou and Gallimard, 2013

機械を通して切り取られた身体にも適応される。眼や唇、足というクローズアップによって断片化された身体の部位は、「見る」「食べる」といった機能から切り離されて倒錯的な性の対象物となっている。展覧会の第3章「役に立たない機械:ダダとシュルレアリスム」は、彼らのオブジェへの指向を「住宅とは住むための機械である」と語るル・コルビュジエに代表される機能主義に対する反機械主義というべき視点から見るものである。

関東大震災後後の帝都復興

第4章では1920年代のヨーロッパからの影響を受けた日本に舞台を移す。第一次世界大戦の荒廃の後に、価値観の大きな変容を迎えたヨーロッパに対して、日本という国は戦場となることもなかったが、1923年に発生した関東大震災によって、明治以降作り上げられてきた東京という都市の大部分は灰燼に帰してしまった。震災後に内閣直属の組織として作られた帝都復興院は、主要幹線道路や公園、広場、築地中央市場などの設置、上下水道や運河、橋梁、河川の改修及び新設などを行う「帝都復興計画」[12]を策定し、新たな都市づくりを進めた[13]。計画よりも規模を縮小しながらも東京は地震や火災に耐えうる鉄筋コンクリート造の人型建築や、重厚な素材で作られた鉄骨の橋などが建ち並ぶ本格的な近代都市となった。この新しい都市に華やかなイメージを添えたのが、1922年から欧米に遊学していた杉浦非水である。彼はドイツ、オーストリア、フランスを巡り、ウィーン工房やアール・デコなど、ヨーロッパで目にした同時代のデザインを吸収していった。非水は1910年代から三越のデザイナーとして活躍していたが、アール・ヌーヴォー風の流麗な曲線美がヨーロッパでは既に時代遅れであったことに気づき、帰国後には一転してアール・デコを思わせる単純化した幾何学的なデザインを用いていく。折しも関東大震災後に上野―浅草間に開通した地下鉄や、大型デパート建築などが登場し、非水が手掛けた広告用のグラフィックデザインによって復興期のモダン都市東京を象徴する新たなイメージを作り上げられていった。

また、非水をはじめ、この時代のデザイナーたちは「図案集」を制作して、同時代の都会的なイメージを全国に広めていった[14]。非水が自身のイラストを手本として出版した「創作図案集」の他、国内外のグラフィックデザインを引用した手本集も多く刊行されている。この時代に「モダン」という新しいイメージが普及するなかで、画一化されたデザインの傾向がみられるのは、こうした「図案集」が果たした役割は大きい。

非水がグラフィックデザインにおいて復興期の華やかな大衆文化を作り上げる一方で、美術の分野では既存の枠組みにとらわれることのない自由な表現を目指した新興美術が隆盛した[15]。1922年に二科会の中から前衛芸術を目指す団体「アクション」が生まれ、1923年にはドイツから帰国した村山知義が中心となって「マヴォ」を結成

12.「帝都復興計画案ノ大綱」『公文類聚・第四十七編・大正十二年・第三十巻・地理・土地・雑載、警察・行政警察・司法警察、衛生、社寺』1923年、国立古文書館。https://www.digital.archives.go.jp/DAS/meta/listPhoto?LANG=default&BID=F0000000000000006647&ID=&TYPE= [2023年11月27日確認]

13.「1923 関東大震災【第3編】」『災害教訓の継承に関する専門調査会報告書』内閣府災害教訓の継承に関する専門調査会、2009年。https://www.bousai.go.jp/kyoiku/kyokun/kyoukunnokeishou/rep/1923_kanto_daishinsai_3/index.html [2023年11月27日確認]

14. 杉浦非水が帰朝後に発行した図案集は以下。杉浦非水『非水創作図案集』東京:文雅堂、1926年。杉浦非水、渡辺素舟『図案の美学』東京:アトリエ社、1932年。また以下の図案集には非水が序文を寄せている。藤原太一『図案化せる実用文字』東京:大鐙閣、1925年

15. 大正末期から昭和初期にかけての前衛芸術運動についての研究として代表的なものは以下。五十殿利治/河田明久編『クラシック・モダン――1930年代日本の芸術』東京:せりか書房、2004年。;五十殿利治:菊屋吉生:滝沢恭司:長門佐季:水沢勉:野崎たみ子『大正期新興美術資料集成』東京:国書刊行会、2006年。『100年前の未来 移動するモダニズム 1920-1930』(展覧会カタログ) 葉山:神奈川県立近代美術館 葉山、葉山:神奈川県立近代美術館、2023年

する。彼らの活動は関東大震災後にさらに勢いを増し、先鋭的な「三科」の結成へと至る。こうした大正末期から昭和初期にかけての新興美術と呼ばれた芸術運動においてはダダや構成主義が参照された。この時期、美術史学者である板垣鷹穂が機械や近代的な建築などを「機械美」として賛美し、幅広い分野で機械を扱う作家が現れた。文学においては1928年には日本のSF小説の先駆けとなる海野十三が『電気風呂の怪死事件』[16]を発表し、1930年には横光利一が無機的な文体の小説『機械』[17]を発表している。新聞や雑誌にも機械人間や人造人間のイメージが氾濫するなど、ロボットブームと呼びうる流行が発生していた[18]。《現実線を切る主智的表情》(Cat. no. 4-41)で画中にロボットを描いた古賀春江は、1929年の二科会で発表した作品から「超現実主義」と呼ばれたが、その近代性を賛美する表現は反近代的なシュルレアリスムの思想とは本来相容れないものである。板垣の書籍に掲載された機械や都市を画帖に描き写していたという古賀の画風は、機械主義の影響を受けた手描きのモンタージュと呼ぶべきだろう[19]。また、板垣が中心となった都市美協会が主催する「大東京建築祭」でポスターを制作したデザイナーの原弘は、木村伊兵衛が撮影した写真とタイポグラフィを組み合わせた新しいグラフィックデザインを開拓していった(Cat. nos. 4-43, 4-44)。

Now and Then

　上記のように、本展覧会は機械時代と主軸としながらも、第一次世界大戦から1920年代の装飾芸術とシュルレアリスムとの対比、そして日本におけるアール・デコと前衛芸術の移植という、幅広いテーマを扱っていく。テクノロジーと創造性をめぐるジレンマは、20世紀を通して時折あらわれてきた。それらは人間を凌駕するテクノロジーが、アートという人間の創造性と融合や反発を繰り返しながら作り上げられていった創造の軌跡である。21世紀に至って、デジタル技術の発達によって、視聴覚情報や貨幣が物質性を失って電子化され、イメージや文章を自動的に生成する人工知能(AI)の発達から人間独自の能力であった創造性をも機械が超えていこうとする時代を迎えている[20]。このオブジェなき時代において、アートは何を生み出すことができるのだろうか。100年前の機械文明の発達に対する希望と不安に触れることで、現代とこれからの人間のあり方について考えてみたい。

[しょうじ・よう｜ポーラ美術館学芸員]

16. 海野は早稲田大学で電気工学を専攻していたが、雑誌『新青年』の要望により『電気風呂の怪死事件』を執筆し1928年4月号に掲載され、以降多くのSF推理小説を生み出した

17. 横光利一『機械』東京:白水社、1931年［初出は『改造』1930年9月号（第12巻第9号）］

18. 井上晴樹『日本ロボット創世紀 1920~1938』NTT出版、1993年

19. 古賀春江とシュルレアリスムとの関係について述べたものは以下。速水豊『シュルレアリスム絵画と日本 イメージの受容と創造』日本放送出版協会 2009年、pp.47-140

20. 本稿のタイトルは2023年11月に発売されたザ・ビートルズの楽曲「Now and Then」から引いた。この作品は1980年にこの世を去ったジョン・レノンが1978年に録音したカセットテープから、AIを用いた機械学習プログラムによって声のみを抽出し、メンバーの演奏を重ねて発売したものである。2023年の技術と創造性に関する象徴的な出来事として、また現在と過去、そして未来について考える本展覧会のテーマに照らして引用している

機械時代のフランスと日本
―― ポスト機械時代から考える

河本真理

機械時代を整備する！
現代の技術が獲得したものによって、人々を解放する。
――ル・コルビュジエ『輝ける都市』[1]

人間は新しい創造的行為、つまり新しい三位一体を完全に成し遂げた。この新しい三位
一体とは、神である機械、子である唯物論的経験主義、聖霊である科学である。
［…しかしながら、］新しい神のみならず、すべての三位一体は人間化されなければならない。さも
ないとそれが私たちを非人間化するだろう。
――ポール・ストランド「写真と新しい神」[2]

Fig. 1 「機械時代展」の表紙、1927年
（画：フェルナン・レジェ）

　機械時代は、第一次世界大戦下でのテクノロジーの進歩と、この大戦によって大き
く変容した世界を背景に登場した。機械を新時代の象徴として称揚していた両大
戦間期とその時代精神を主に指す言葉である。

　機械時代を代表するピュリスム（純粋主義）の建築家・画家シャルル＝エドゥアー
ル・ジャンヌレ（ル・コルビュジエ）と画家アメデ・オザンファンは、第一次世界大戦が終
戦を迎えた1918年に次のように述べている。

　〈戦争〉が終わり、すべてが組織され、すべてが明瞭になり純化される。工場がそびえ立ち、
　〈戦争〉以前のものはもはや何もない。大いなる〈競争〉は、あらゆるものに試練を課した、
　そして老いぼれた方法にとどめを刺し、闘いにより最良のものと証明された方法をそれに
　代わって強制した。[3]

　このように大戦後の復興期に、機械とテイラー主義によって労働形態が変化し、
高度に産業化された社会が出現した。ル・コルビュジエらは、こうして純化された地平に
「新精神」が到来すると考えたのである。

　とはいえ、機械時代は、機械を賛美し、それによるユートピアを夢想する楽観主義的
な面と、逆に人間が機械に支配されるのではないかというディストピア的な側面が表
裏一体となっていた。ディストピアとしての機械は、フリッツ・ラングの映画『メトロポリ
ス』（1927年）や、（軽妙なユーモアでくるまれているものの）チャールズ・チャップリン
の『モダン・タイムス』（1936年）を見れば一目瞭然だろう。

　機械時代という用語自体は、1927年にニューヨークで「機械時代展」[4] が開催さ
れたことで、市民権を獲得した。この展覧会は、アメリカのみならず、オーストリア・ベル
ギー・フランス・ドイツ・ポーランド・ロシアなどの建築家・芸術家の作品と機械等を並置
し、芸術家が「私たちの時代の現実をダイナミックな美に変容させ、［…］機械を模写
したり模倣したりするのでも、機械を崇拝するのでもなく――機械を現実の一つとして
認識している」[5] ことを示すものであった。芸術家委員会には、キュビスムの彫刻家ア

レクサンダー・アーキペンコ、マルセル・デュシャン、マン・レイ、フランスの建築家アンド
レ・リュルサ、アメリカの画家チャールズ・シーラーらが名を連ね、第二次未来派のエン
リコ・プランポリーニによる「機械美学と芸術における機械的内省」[6]と題するテクス
トが掲載されている。展覧会カタログの表紙に、ボールベアリングを構成した絵を提
供したのは、フェルナン・レジェである（Fig. 1）。

　このように、機械時代は、何も一国に限った現象ではなく、トランスナショナルな射
程を持った趨勢であった。ジークフリート・ギーディオンの古典的大著『機械化の文化
史──ものいわぬものの歴史』[7]（1948年）にしろ、機械時代の建築の理論とデザイ
ンを、未来派のダイナミズムとアカデミー派の慎重さの間に位置づけ、建築史の視点
からの機械時代に関する古典的著作となった、レイナー・バンハムの『第一機械時代
の理論とデザイン』[8]（1960年）にしろ、ストックホルムのモデルナ・ミュジート（近代美
術館）館長ポントゥス・フルテンがゲスト・キュレーターとしてオーガナイズした、ニュー
ヨーク近代美術館の重要な展覧会「機械時代の最後に見られるところの機械」[9]
（1968年）にしろ、ヨーロッパと北米にほぼ限定されてはいるものの、複数の国・地域
に跨るものとして、機械時代とその芸術・デザインを提示している。

　それにもかかわらず、機械時代が特にアメリカ的なものと見なされるようになったの
は、1986年にブルックリン美術館で開催された大規模な回顧展「アメリカの機械時
代　1918-1941」[10]のインパクトが強かったからかもしれない。リチャード・ガイ・ウィ
ルソンは、機械美学から、①モダン、②機械の純粋（主義）、③流線形、④バイオモル
フィック（生物的形態）の4つの様式的解釈が生まれたとした。このうち、①アール・デ
コとしばしば同一視されるモダンや、②ドイツのバウハウス、オランダのデ・ステイル、フ
ランスのピュリスムに影響された機械の純粋（主義）が、幾何学的形態や直線を多用
する傾向が強いのに対し、③流線形や④バイオモルフィックは不定形の曲線を用い
る点で、一見したところ相当異なる外観を呈している。しかしながら、これは、機械に対
する反応の相違や機械自体の変化（例えば、流線形は1930年代に登場した）に呼
応した、機械美学の多様性を示しているともいえよう。

　こうして機械時代といえばアメリカという印象が強められる一方、フランスでは機械
時代はどのように捉えられてきたのだろうか。先述した1927年の「機械時代展<ruby>マシン・エイジ</ruby>」でも、
バンハムの著作でも、1968年のニューヨーク近代美術館の展覧会でも、フランスの
ピュリスムやピュトー・グループのキュビスムの芸術家ら（レジェ、ロベール・ドローネー、
レイモン・デュシャン＝ヴィヨン…）が、機械時代の重要な一翼を担ってきたのは疑い
得ないが、これらはいずれも英米圏の展覧会・著作である。フランスで機械時代に関
連して刊行された著作としては、ピエール・フランカステルの『19世紀と20世紀の芸
術と技術』（邦訳：『近代芸術と技術』）[11]（1956年）、マルク・ル・ボの『絵画と機械主
義』[12]（1973年）が挙げられるが、それほど多いとはいえない[13]（例外的に、飛行機と

1. Le Corbusier, *La ville radieuse. Éléments d'une doctrine d'urbanisme pour l'équipement de la civilisation machiniste*（Boulogne: Éditions de l'Architecture d'aujourd'hui, 1935）, p. 155.（ル・コルビュジエ『輝ける都市──機械文明のための都市計画の教義の諸要素』白石哲雄監訳、河出書房新社、2016年、155頁）

2. Paul Strand, "Photography and the New God," *Broom*, vol. 3, no. 4, November 1922, pp. 252, 257. 三位一体とは、神は一つの本質で、しかも父と子と聖霊の三つの位格からなるというキリスト教の教義

3. Amédée Ozenfant et Charles-Édouard Jeanneret, *Après le Cubisme*（Paris: Éditions des Commentaires, 1918）, p. 11

4. Jane Heap et al., ed., *Machine-Age Exposition*, exh. cat.（119 West 57th Street, New York, 1927）

5. Ibid., p. 36

6. Enrico Prampolini, "The Aesthetic of the Machine and Mechanical Introspection in Art," in ibid., pp. 9-10. このテクストの初出（イタリア語）は、『デ・ステイル』誌1922年7月号で、同年10月に『ブルーム（Broom）』誌に英訳が掲載された

7. Siegfried Giedion, *Mechanization Takes Command: A Contribution to Anonymous History*（New York: Oxford University Press, 1948）.（S. ギーディオン『機械化の文化史──ものいわぬものの歴史』榮久庵祥二訳、鹿島出版会、1977年、新装版、2008年）

8. Reyner Banham, *Theory and Design in the First Machine Age*（London: Architectural Press, 1960）（レイナー・バンハム『第一機械時代の理論とデザイン』石原達二／増成隆士訳、鹿島出版会、1976年）

9. K.G. Pontus Hultén, ed., *The Machine, as Seen at the End of the Mechanical Age*, exh. cat.（New York: The Museum of Modern Art, 1968）.

10. Richard Guy Wilson, Dianne H. Pilgrim, and Dickran Tashjian, *The Machine Age in America, 1918-1941*, exh. cat.（New York: Brooklyn Museum of Art in association with Harry N. Abrams, 1986）（リチャード・ガイ・ウィルソン、ダイアン・H・ピルグリム、ディックラン・タシジャン『アメリカの機械時代　1918-1941』永田喬訳、鹿島出版会、1988年）

芸術の関係についての著作や展覧会は多い[14]）。

　フランスでは、「machine age」という言葉を直接用いるよりは、機械主義
（machinisme）という用語が用いられる（ル・コルビュジエは、機械時代を「époque
machiniste」[15]と呼ぶ）。「machinisme」は、まずデカルトの動物機械論を指す哲学
用語として18世紀から用いられた。機械論はさらに先鋭的になり、ジュリアン・ド・ラ・メ
トリは『人間機械論（L'Homme machine）』（1747年）の中で、人間をその精神
活動を含めて機械と見なす。この機械論の系譜が、今日のサイバネティクスにもつな
がっていくのである。「machinisme」という用語自体は、哲学の機械論のみならず、
19世紀以降、産業社会における機械の使用の一般化と増大をも指すようになり、そ
の際は機械主義と訳される。

　このようにフランスは、機械論の哲学的伝統と両大戦間期の機械主義に基づく
芸術的実践がある一方、その時期以降の美術史の言説が、モダニズムと結びつく機
械美学に対して概ね否定的であり、いつの時代にも変わらぬ「人間性」や「人間主義
（humanisme）」を称揚する傾向が強かったことから[16]、機械時代を正面から取り
上げるのをやや逡巡してきたのは否めない。本展では、とりわけ両大戦間期のフラン
スの芸術・デザインを、トランスナショナルな機械時代の観点から再検討するとともに、
それを梃子として日本の機械時代にも光を当てる。両大戦間期は、交通・通信手段
の発達によって世界中にネットワークが張り巡らされ、日本でもほぼ同時に世界の機
械時代の動向を受容することができると同時に、日本の機械時代の芸術・デザインも
生み出された。日本の機械時代の言説・作例も、こうしたトランスナショナルなコンテクス
トの中に位置づける必要があるだろう。

機械の表象か「造形的−機械的アナロジー」か

　先述した1927年の「機械時代展」は、機械時代の芸術・デザインを広範に考察
した最初の展覧会であったが、その際すでに機械時代の芸術のあり方をめぐって問
題が指摘されていた。まずは、この問題を整理することから始めたい。展覧会カタログ
にテクストを寄稿したアーキペンコは、「機械の部品のみを表象する絵画は危険な道
だ」と危惧し、その例として未来派とダダを挙げている。[17]アーキペンコにとっては、動
態的な形態と色彩を通して、芸術と動き（Action）を結びつけることこそがあるべき道
であった[18]。これと同様の見解は、第二次未来派のプランポリーニ自身の宣言の中に
も見出せる。

　　機械と機械的要素の造形的称揚は、それらの外的現実、すなわち機械自体を構成する要
　　素の形態の表象においてではなく、むしろ機械が私たちに示唆する、多様な精神的現実
　　と関連する造形的−機械的アナロジー（plastic-mechanical analogy）において
　　認められなければならない[19]。[傍点筆者]

　確かに、未来派とダダに限らず、チャップリンの『モダン・タイムス』を含めた機械時
代の芸術によく見られるのは、歯車やボールベアリングといった機械部品の表象であ
り、これらの部品は、機械時代を象徴するまでになっている。とりわけフランシス・ピカ
ビアは、1919年にトリスタン・ツァラやハンス・アルプとチューリヒで会い、これらダダ
イストに機械美学を伝えた。機関紙『ダダ』第4-5号の表紙を飾ったのは、ピカビアの

Fig. 2

Fig. 3

Fig. 4

Fig. 5

Fig. 2　『ダダ』第4-5号の表紙、1919年5
月15日（画：フランシス・ピカビア《目覚まし》）
Fig. 3　ハンナ・ヘーヒ《ダダの包丁で、ド
イツの最近のヴァイマルのビール腹文化時
代を切り刻む》1919/20年、フォトモンター
ジュ、114×90cm、ベルリン、国立美術館
Fig. 4　クルト・シュヴィッタース《メルツ絵
画29A　回転車輪のある絵画》1920
年／1940年、アッサンブラージュ、85.8×
106.8cm、ハノーファー、シュプレンゲル美術館
Fig. 5　『レスプリ・ヌーヴォー』第10号、
1921年

《目覚まし》（Fig. 2）で、分解した目覚まし時計の部品をインクに浸し、ランダムに紙に押しつけて制作されたという[20]。そのような訳で、正確には表象というより痕跡であり、しかもそれらしく見える歯車機構ででたらめである。こうしたピカビアのアイロニカルな機械美学がベルリン・ダダなどにも伝播したのは、ハンナ・ヘーヒのフォトモンタージュ《ダダの包丁で、ドイツの最近のヴァイマルのビール腹文化時代を切り刻む》（Fig. 3）などにも見て取れる。この作品では、女性芸術家ケーテ・コルヴィッツの頭部を回しているように見える頭のない踊り子を中心に、皇帝ヴィルヘルム二世、パウル・フォン・ヒンデンブルク、カール・マルクス、ウラジーミル・レーニン、科学者アルベルト・アインシュタイン（左上の最も目立つ人物）、ヘーヒ本人を含むダダイストたち、大衆、摩天楼の聳え立つ大都市に混じって、ボールベアリングなどの機械部品も配され、「戦争と革命の時代の混沌から、視覚的で思想的な新しい鏡像をもぎ取った」[21]のである。

　ハノーファー・ダダのクルト・シュヴィッタースは、機械部品そのものをアッサンブラージュ（《メルツ絵画29A 回転車輪のある絵画》[Fig. 4]）に導入した。シュヴィッタースは、「［第一次世界大戦時に動員されたヴュルフェル製鉄所で、］私は歯車を愛好するようになったが、同時に機械を人間精神の抽象として理解するようにもなった。このときから、私は抽象絵画と機械を総合芸術作品に統合したいと思うようになった」[22]と述べている。したがって、ダダの機械美学は、アーキペンコが考えるほど単純な外的模倣ではなく、アイロニカルな機械であり、ある意味「人間精神の抽象」としても捉えられたものといえよう。

ピュリスム——機械と〈秩序〉

　まずピュトー・グループのキュビスムの芸術家として活動したレジェは、第一次世界大戦後の1920年頃から、ル・コルビュジエやオザンファンのピュリスムと関わった。そのレジェの絵画（《鏡を持つ女性》[Cat. no. 1-22]）も、女性の身繕いという古典的なテーマを扱い、目や手、カップの半分といった分かりやすい具象的な特徴を織り交ぜながら、全体的には機械のパーツを想起させる。これは、レジェが第一次世界大戦に従軍した際、光を反射するメタリックな機械に心を奪われたことを思い起こさせよう。

> 私[レジェ]は、まばゆい日の光の中で開かれた75ミリ砲の後部、その白い金属に反射する光の魔術に心を奪われた。だがそれは、私に1912年から1913年にかけての抽象美術を忘れさせるのに必要なものだった。それは、人間として画家として、全く新しい発見だった。[23]

　とはいえ、レジェによれば、「美しい機械は、美しいモダンな主題」[24]になるものの、「機械あるいは製造品は、これらのヴォリュームが生み出す線の関係が、以前の建築の秩序と同等の秩序において均整が取れているとき、美であり得る」[25]。ここで重要なのは「秩序」であり、この「以前の建築の秩序と同等の秩序」とは、「幾何学的秩序」[26]を指している（オザンファンとジャンヌレは、それを「数学的秩序」[27]と呼んだ）。芸術作品と機械は、双方とも幾何学に依拠していることから、類比したものと見なされる。1921年の『レスプリ・ヌーヴォー』誌第10号において、ル・コルビュジエが、時間的・空間的な隔たりを超えて、ギリシア神殿（パエストゥム、パルテノン）と自動車の写真を並置し、同列に扱った（Fig. 5）のもそれゆえであり、プランポリーニのいう「造形的-機械的アナロジー」とも遠くないといえよう。

11. Pierre Francastel, *Art et technique aux XIXᵉ et XXᵉ siècles*(Paris: Minuit, 1956〔1988〕).（ピエール・フランカステル『近代芸術と技術』近藤昭訳、平凡社、1971年）。19世紀と20世紀の造形芸術を取り上げるのみならず、かなりの部分を建築に割いている

12. Marc Le Bot, *Peinture et machinisme* (Paris: Klincksieck, 1973). 対象としている時代は、主に18世紀の百科全書から20世紀の抽象美術及びダダまでだが、タイトルにあるように絵画のみを取り上げており、建築等には触れられていない

13. フランスにおける比較的新しい研究としては、Sonia de Puineuf, « Les artistes constructeurs de la "civilisation machiniste" », *Histoire de l'art*, n° 67, 2010, pp. 83-94. 機械主義とタイポグラフィの関係も論じられている

14. フランスにおいて、飛行機と芸術の関係についての著作や展覧会は数多いが、その中でも以下の文献を挙げておく。Nathalie Roseau, *Aérocity. Quand l'avion fait la ville* (Marseille: Éditions Parenthèses, 2012); Angela Lampe, éd., *Vues d'en haut*, cat. exp. (Metz: Centre Pompidou-Metz, 2013)

15. Le Corbusier, *L'art décoratif d'aujourd'hui* (Paris: Flammarion, 2009), p.131（édition originale, G. Crès et Cie, 1925）（ル・コルビュジエ『今日の装飾芸術』前川国男訳、鹿島出版会、1966年、151頁）。「machiniste」は「machinisme」の形容詞形である

16. Waldemar George, « Le Néo-humanisme », *L'Amour de l'art*, n° 4, avril 1934, pp. 359-361; René Huyghe, « "Après" l'Art moderne », *L'Amour de l'art*, n° 4, avril 1935, pp. 140-141. 1930年代のフランス美術史編纂については、藤原貞朗『共和国の美術——フランス美術史編纂と保守／学芸員の時代』名古屋大学出版会、2023年を参照。この人間主義を重視する傾向は、1930年代以降も受け継がれる

17. Alexander Archipenko, "Machine and Art," in Jane Heap et al. ed., *Machine-Age Exposition*, op. cit., p. 13

18. Ibid., p. 14

19. Enrico Prampolini, "The Aesthetic of the Machine and Mechanical Introspection in Art," in ibid., p. 10

20. Gabrielle Buffet-Picabia, "Some Memories of Pre-Dada: Picabia and Duchamp（1949），" translated by Ralph Manheim, in Robert Motherwell, ed., *The Dada Painters and Poets: An Anthology* (Cambridge, Massachusetts, London: The Belknap Press of Harvard University Press, 1981), p. 266 [First edition, Wittenborn, Schultz, 1951]

21. Raoul Hausmann, « Discours à l'exposition du Musée des Arts et Métiers de Berlin »(1931), dans Raoul Hausmann, *Courrier Dada*, nouvelle édition établie, augmentée et annotée par Marc Dachy(Paris: Allia, 1992), p. 48

レジェが絵画制作にあたって重視したのは、平塗りの純粋な色調(赤・黄・緑)／グレーや青の諧調のモデリング(陰影法)を対比させるといった「造形的コントラストの法則」[28]である。機械をそのまま表象するのではなく、あくまでもその法則に則って「構築された絵画(peinture architecturée)」[29]を作り出すことが要請されたのだ。

レジェはさらに、アメリカ人映画作家ダドリー・マーフィーと共同で、短編映画『バレエ・メカニック』(1923-24年)を制作した。そもそも技術の進歩の恩恵を受けて誕生した映画は、機械主義にこの上なく適した媒体である。『バレエ・メカニック』では、断片化された人体と機械が、クローズ・アップで捉えられ、万華鏡のようにリズミカルな動きを反復する。同様の機械の抽象的な運動は、螺旋状の円盤が回転するにつれ、奥行きおよびテクストとの相互作用を生み出す、デュシャンの『アネミック・シネマ』(Cat. no. 3-01)にも見られる。

ル・コルビュジエとオザンファンとレジェは、1925年にパリで開催された「現代産業装飾芸術国際博覧会(通称アール・デコ博)Exposition internationale des arts décoratifs et industriels modernes」に参加し、レスプリ・ヌーヴォー館に携わった。ル・コルビュジエは、「現代の装飾芸術は装飾をもたない」[30]と訴え、富裕層向けの豪華な装飾芸術を展示すること自体を否定する。合理主義的な建築を追求したル・コルビュジエは、大量生産の規格品(objet-type)を用い、レジェの油彩画(《バラスター(小柱)》)などを壁面に配した(Fig. 6)。《バラスター(小柱)》の画面中央のモティーフは、古代風の建築的モティーフにも、大量生産のメタリックな点火プラグのようにも見える。

実際にアール・デコ博で展示された作品の大部分は、ル・コルビュジエがまさしく否定した高級な装飾芸術であったにせよ、この博覧会が現代産業芸術(arts industriels modernes)を促進させるものであったことを過小評価すべきではない。こうして、カッサンドルのポスター(Cat. no. 2-14)が、仰瞰的な特殊なアングルを駆使しながら、ノルマンディー号の機械美を大胆に表現する一方、ガラス工芸家ルネ・ラリックのカーマスコット(Cat. no. 2-47)は、伝統的な勝利の女神ニケ像を扱いながら、髪を広げた翼のように後方に直線的に伸ばすことによって、機械時代の象徴たる自動車にふさわしいダイナミズムを獲得したのである。

飛行機と鳥瞰的視点

自動車とともに機械時代を象徴した飛行機は、様々な芸術家を魅了した。パリの航空展を訪れたマルセル・デュシャンは、コンスタンティン・ブランクーシとレジェに向かって、「絵画は終わった。誰がこのプロペラ以上のものを作れるというんだ」[31]と語ったという。その後デュシャンは、最初のレディメイドである《自転車の車輪》(1913年)を制作する。

飛行機と鳥瞰的視点に魅せられた画家の一人であるロベール・ドローネーは、すでに戦前に《カーディフ・チーム》(1913年)や、フランス航空界の先駆者ルイ・ブレリオを取り上げた《ブレリオに捧ぐ》(1914年、Fig. 7)に飛行機を描き込んだ。《ブレリオに捧ぐ》では、ブレリオ機(単葉機)のプロペラの機械的運動が、同心円の光=色彩によって視覚化されている[32]。

大戦後、パリに戻ってきたドローネーは、〈エッフェル塔〉シリーズを再開し、1922年に《エッフェル塔とシャン=ド=マルス公園》[33](Fig. 8、本展に展示されているのは、

Fig. 6

Fig. 7

Fig. 8

Fig. 9

Fig. 6　レスプリ・ヌーヴォー館の居間、1925年
Fig. 7　ロベール・ドローネー《ブレリオに捧ぐ》1914年、カンヴァス、テンペラ、250×251cm、バーゼル美術館
Fig. 8　ロベール・ドローネー《エッフェル塔とシャン=ド=マルス公園》1922年、カンヴァス、油彩、178.1×170.4cm、ワシントン、ハーシュホーン博物館と彫刻の庭
Fig. 9　アンドレ・シェルシェ、アルベール・オメール=ド=キュジ《気球から見たエッフェル塔》1909年、『イリュストラシオン』第3458号、1909年6月5日、388−389頁に掲載

それをもとにした版画［Cat. no. 2-09］）を制作した。この油彩画は、戦前の1909年にドローネーがパリの第一回航空輸送国際展で目にしたアンドレ・シェルシェの写真——エッフェル塔の頂上の50メートル上空を通過した飛行船から「垂直に見下ろす視点」で撮影した、エッフェル塔とシャン＝ド＝マルスの写真（Fig. 9）——を下敷きにしたものである。この写真は、『コメディア』紙や『イリュストラシオン』誌に掲載されただけではなく、ル・コルビュジエの『今日の装飾芸術』（1925年）の表紙にも使われた有名な写真であり、飛行機（飛行船）からの鳥瞰的視点が、視覚と空間認識を変容させたことを、鮮やかに浮かび上がらせている。

　ロベール・ドローネーは、後にソニア・ドローネーとともに、1937年のパリ万博の航空館のデザインも担当する。

人形とオブジェ

　「人間機械論」の具現化ともいえる（自動）人形やアンドロイドは、機械時代を象徴するものの一つである。フリッツ・ラングの『メトロポリス』に登場するアンドロイドのマリアは、映画の分野における代表的な例だ。絵画の分野では、ジョルジョ・デ・キリコの《ヘクトールとアンドロマケー》（Cat. no. 3-16）が、ホメロスの『イリアス』における、トロイア戦争に出征するトロイア軍総帥のヘクトールと妻アンドロマケーの別れを主題としながら、2人は情が高ぶる場面とはほど遠い、無機的なマネキン人形で表されている。

　シュルレアリスムは、ダダほど機械美学にあからさまに関わることはしなかったが、ダダ同様、機械が含み持つエロティシズムには敏感であった。ハンス・ベルメールの球体関節人形（Cat. no. 3-22）は、解体・再構築が可能であり、人間と機械、生物と無生物の境界に位置する、フロイトのいう「不気味なもの」として現れている[34]。

　ベルメールの球体関節人形を含め、シュルレアリスムにおいて機械の「不気味な」受容が可能になったのは、オブジェを通してだったともいえる。オブジェは、「彫刻」との境界で揺れ動く三次元の物体を概ね指し、1930年代にとりわけ着目された[35]。1936年には、マックス・エルンストとマン・レイが、アンリ・ポワンカレ学院に展示されていた「数学的オブジェ」（数理模型）（Cat. nos. 3-04,3-05,3-06,3-07）を見つける。この年、数学的オブジェを含む「オブジェのシュルレアリスム展」がパリのシャルル・ラットン画廊で開催された。シュルレアリスムが定義するオブジェにおいて、使用価値や「慣習的な価値は、［オブジェの］表象的な価値の背後に消え去る」[36]。アイロンに鋲を付けたマン・レイの《贈り物》（Cat. no. 3-03）は、この典型的な例である。詩人ポール・エリュアールがこうしたオブジェを「詩の物理学」[37] と呼んだのは示唆的だろう。

日本の機械時代

　それでは、同時代の日本はいかなる状況にあったのだろうか。国土の荒廃とその後の復興という点において、日本の転機となったのは1923年の関東大震災である。関東大震災後の復興の過程で、急速に近代化・機械化が推し進められ、日本にも機械時代が到来したのだ。

　なお、ここで確認しておきたいのが、日本語では「モダン」という語が指す範囲が、もっぱら関東大震災をはさむ1910年から1939年頃までの時代に限られており、元々の「modern」の第一義である「現代の、今日の」という意味合いではほとんど用

22. Kurt Schwitters, „[Kurt Schwitters Herkunft, Werden und Entfaltung]", *Sturmbilderbücher* IV, 1920, S. 2, in Friedhelm Lach, hrsg., *Kurt Schwitters: Das literarische Werk*, Band 5 Manifeste und kritische Prosa, (Köln: DuMont, 1981), S. 84

23. Fernand Léger, « Que signifie : être témoin de son temps ? », *Arts*, n° 205, 11 mars 1949, p. 1

24. Fernand Léger, « L'esthétique de la machine, l'objet fabriqué, l'artisan et l'artiste »(1923-1924), repris dans Fernand Léger, *Fonctions de la peinture*, édition revue et augmentée, établie, présentée et annotée par Sylvie Forestier (Paris: Gallimard, 2004), p. 97

25. Ibid., p. 89

26. Fernand Léger, « L'esthétique de la machine, l'ordre géométrique et le vrai » (1924), repris dans ibid., p. 103. このテクストのタイトル自体に「幾何学的秩序（l'ordre géométrique）」が謳われている

27. Amédée Ozenfant et Charles-Édouard Jeanneret, « Le Purisme », *L'Esprit Nouveau*, n° 4, janvier 1921, pp. 371, 373, 386

28. Fernand Léger, « À propos de l'élément mécanique »（1923）, repris dans *Fonctions de la peinture*, op. cit., p. 83

29. Amédée Ozenfant et Charles-Édouard Jeanneret, « Le Purisme », article cité, p. 386

30. Le Corbusier, *L'art décoratif d'aujourd'hui*, op. cit., p. 81（ル・コルビュジエ『今日の装飾芸術』前掲訳書,99頁）

31. Marcel Duchamp, *Duchamp du signe. Écrits*, réunis et présentés par Michel Sanouillet, nouvelle édition revue et augmentée avec la collaboration d'Elmer Peterson(Paris: Flammarion, 1994), p. 242.（マルセル・デュシャン『マルセル・デュシャン全著作』北山研二訳、未知谷、1995年,359頁）

32. ドローネーの《ブレリオへ捧ぐ》に関しては、Pascal Rousseau, « La construction du simultané. Robert Delaunay et l'aéronautique », *Revue de l'art*, n° 113, octobre 1996, pp. 19-31を参照

33. ドローネーの《エッフェル塔とシャン＝ド＝マルス公園》に関しては、河本真理「空から見たパリ——二十世紀の世界風景と大戦」天野知香編『パリ II —— 近代の相克』(西洋近代の都市と芸術3)竹林舎、2015年、128-151頁を参照

いられないことである[38]。このように、日本では「モダン」が、近代化が初めて大衆の手に届くようになった時代に強く結びついていることに留意しておく必要がある[39]。

さて、ドイツ留学から帰国して、1923年に前衛美術グループ「マヴォ」を結成した村山知義は、翌年の『みづゑ』誌上に「機械的要素の芸術への導入」[40]を寄稿した。村山は、冒頭に「最近の形成芸術界を通じて一番目立つ現象の一つは、機械的要素の持つ魅力が新しく発見された事である」[41]と記し、レジェやプランポリーニらの名を挙げて、ヨーロッパ美術に機械的要素が浸透していることを指摘している（ただし、ル・コルビュジエには言及していない）。『マヴォ』誌第5号表紙（Cat. no. D-4-05）に掲載された、村山自身が製作した舞台装置は、ロシアのリュボーフィ・ポポーワの構成主義的・機械的（メカニカル）な舞台装置（Fig. 10、フセヴォロド・メイエルホリド演出の『堂々たるコキュ』［1922年］）を想起させ、村山が理論と実践の双方において機械美学に関わっていたことが分かる。

Fig. 10　リュボーフィ・ポポーワ、『堂々たるコキュ』の舞台装置のためのデザイン、1922年、墨、水彩、コラージュ、ニス、紙、50×69.2cm、モスクワ、トレチャコフ国立ギャラリー
Fig. 11　ラウール・ハウスマン《タトリンは家にいる》1920年、フォトモンタージュ、40.9×27.9cm、ストックホルム、近代美術館

　美術史家・美術評論家の板垣鷹穂は、1929年に『機械と芸術との交流』[42]（Cat. no. D-4-08）を上梓し、「「機械文明」と云ふ一個の確定的な媒介物を前提して、現代美術の特質を推定する」[43]ことを試みている。板垣は、同時代のドイツやフランスの雑誌を読んで、ル・コルビュジエの所論にいち早く親しんでいただけではなく、ウィリアム・ターナーやアドルフ・フォン・メンツェル、クロード・モネ（Cat. no. 1-06）やドローネー、マックス・ベックマンらの機械文明（鉄道、工場、駅、鉄橋など）を描き出した絵画や、レジェの映画『バレエ・メカニック』も知っており、幅広いパースペクティヴから機械芸術論を展開することができた。バウハウス叢書を意識した装幀と豊富な図版の掲載に、板垣の並々ならぬ意欲を見て取ることができよう。板垣によれば、「一切の視覚的な芸術の中で最も機械的環境の表現に適しているのは、恐らく建築と工芸と映画」[44]であり、それに比べて「絵画は機械の機能を描写することができない」[45]がゆえに不利である。機械が自己を芸術化する一方、工芸品は機械化しつつあると、板垣は強調する。

　こうして日本においても機械美学に関する理論が構築されていく一方、その美学を反映した作品が制作された。フランスでレジェに師事した画家・坂田一男は、ピカビアのダダの機械美学（機械のクローズ・アップ）とレジェの機械的要素・構図（メカニック・エレメント）を結びつけ[46]、《コンポジション》（Cat. no. 4-39）ではマネキンの断片と断面を再構成している。

　大正期新興美術運動において初めて「メカニズム」という概念を唱えた、首都美術展の委員であった河辺昌久は、自身でも《メカニズム》（Cat. no. 4-38）を制作した。河辺の《メカニズム》は、水平・垂直に走るパイプ状の形態が入り組んだ画面に、目を閉じた男の横顔、首と手の解剖図が描かれ、そこに機械部品の複製図版や地図の断片がコラージュされた油彩画である。そもそも歯科を学ぶ医学生であった河辺の生活が、解剖図や医療器具のように見える機械部品、あるいは歯科治療の際に頭部を上に向けるといった点に反映されていると指摘されている[47]。画面左上に貼られている「L'ESPRIT NOUVEAU」と印刷された紙片は、ル・コルビュジエらの『レスプリ・ヌーヴォー（レスプリ・ヌーヴォー）』誌の表紙から切り取られたものである。ただ、「新精神」へのオマージュがあるにせよ、河辺のこの作品が造形上親近性を示すのは、ピュリスムよりダダの機械美学であり[48]、とりわけベルリン・ダダのラウール・ハウスマンが制作したフォトモンタージュ《タトリンは家にいる》（Fig. 11）などが想起されよう。河辺の《メカニズム》は、コラージュ／モンタージュという制作方法そのものに、機械的な「メカニズム」が含まれていることを示すとともに[49]、この時期の日本の機械美学が同時代のヨーロッパの複数の動向と連動していることを浮かび上がらせる。

ヨーロッパに遊学した経験があるデザイナー杉浦非水は、モダン都市・東京をポスターなどに表象する際にも、俯瞰的（《ポスター「新宿三越落成 十月十日開店」》[Cat. no. 4-03]）あるいは仰瞰的なアングル（《ポスター「上野地下鉄ストア」》[Cat. no. 4-04]）を強調するなど、「カメラの眼」──すなわち「機械の眼」──を意識していた。1920年代のヨーロッパで始まり、後に世界中に広まった、このような新しい視覚による写真を「ニュー・ヴィジョン」と呼ぶが、杉浦もまさしくトランスナショナルな「ニュー・ヴィジョン」を見据えていたのである。

ポスト機械時代──AI時代の到来

両大戦間期の機械時代から100年経った現代は、第四次産業革命、第三次人工知能（AI）ブームと呼ばれている。機械は私たちの生活の隅々まで、より非物質化した形──デジタル化、情報、人工知能など──で浸透してきた。今後の「機械芸術」も、より非物質化していくことだろう。歯車やロボットなど目に見える機械を表象する場合は、映画の『モダン・タイムス』や『メトロポリス』を再訪し、再解釈するという形を取っている（ムニール・ファトゥミ《モダン・タイムス、ある機械の歴史》[Cat. no. 5-01]、空山基《Untitled》[Cat. no. 5-02]）。

今日のAI時代が両大戦間期の機械時代と異なるのは、機械を表象するばかりではなく、今度は機械が生成するAIアートが登場したことである。それまで芸術の作者は人間と考えられてきたわけだが、その前提そのものが問い直されるとき、芸術の定義や可能性はいかに変容していくのだろうか──。新たな局面を迎えるこのポスト機械時代において、本展で取り上げられている両大戦間期の芸術・デザインは、機械と人間との複雑な関係性とそのあり方を考える際の欠くべからざる道標となるだろう。

［こうもと・まり｜日本女子大学教授］

34. ベルメールの人形とフロイトの「不気味なもの」については、Rosalind Krauss, "Corpus Delecti," *October*, no. 33, Summer 1985, pp. 31-72; Hal Foster, *Compulsive Beauty* (Cambridge and London: The MIT Press, 1993); Therese Lichtenstein, *Behind Closed Doors: The Art of Hans Bellmer* (Berkeley, Los Angeles and London: University of California Press, 2001); ファブリス・フラウテズ「ハンス・ベルメールと日本」河本真理訳、天野知香・河本真理編『日仏美術交流シンポジウム　シュルレアリスムの時代──越境と混淆の行方』日仏美術学会、2012年6月、110-117頁を参照

35. 両大戦間期のオブジェについては、星埜守之「「野蛮の品々」と「オブジェ」の三〇年代を巡って」鈴木雅雄／真島一郎編『文化解体の想像カ──シュルレアリスムと人類学的思考の近代』人文書院、2000年、432−454頁；河本真理「〈オブジェ〉の挑発──シュルレアリスム／プリミティヴィスム／大衆文化が交錯する場」澤田直編『異貌のパリ　1919-1939──シュルレアリスム、黒人芸術、大衆文化』水声社、2017年、151−169頁などを参照

36. André Breton, « Crise de l'objet », *Cahiers d'art*, nᵒˢ 1-2, 1936, p. 24.（アンドレ・ブルトン「オブジェの危機」巖谷國士訳、『シュルレアリスムと絵画』瀧口修造、巖谷國士監修、人文書院、1997年、313頁）

37. Ibid., p. 22.（同訳書、312頁）

38. 山室信一『モダン語の世界へ──流行語で探る近現代』岩波書店、2021年

39. 山室信一・京都大学名誉教授の貴重なご教示に感謝いたします。

40. 村山知義「機械的要素の芸術への導入」『みづゑ』227号、1924年1月、6−10頁

41. 同論文、6頁

42. 板垣鷹穂『機械と芸術との交流』岩波書店、1929年

43. 同書、40頁

44. 同書、91頁

45. 同書、86頁

46. 坂田一男は、「ピカビヤ［原文ママ、フランシス・ピカビアのこと］のダダに目を見張り遂に選りも選ったブッキラ棒のレーゼ［原文ママ、レジェのこと］の傘下に走る運命を選ぶに至ったのも一面此ノ智性的要求からでもあった。［中略］製材円鋸の回転音の如く頭上を這い廻る電気ジャッキの音が嬉しいのである」と述べている（「?」（未発表原稿下書き）（『坂田一男展─前衛精神の軌跡─』展覧会カタログ、岡山県立美術館、2007年、173頁）

47. 五十殿利治「メカニズムとモダニズム──大正期新興美術運動から昭和初期のモダニズムへ（その一）」『藝叢』第10号、1993年、124頁

48. 同論文、125頁

49. 同上

謝辞 | Acknowledgement

本展の開催、および本書籍の発行にあたり、格別のご協力を賜りました方々、
またここにお名前を記すことのできなかった皆に、深く感謝申し上げます。（五十音順、敬称略）

We are deeply grateful to the following institutions and individuals
who gave us their cooperation in making this exhibition possible. (Honorifics Omitted)

Mounir Fatmi	青嶋　典生	庄司　秀行
空山基	Yasemin Demir	鈴木　理世
Rafaël Rozendaal	奈良　幸子	染谷　卓郎
	Lutz Herrmann	田村　万里子
		千葉　寿子
株式会社青島文化教材社	水戸野　孝宣	鎮西　芳美
アートフロントギャラリー	黒澤　美子	筒井　直子
板橋区立美術館	田村　孝介	都築　千重子
株式会社Echelle-1	當摩　節夫	坪井　みどり
愛媛県美術館		
川越市立美術館	青木　颯子	鶴　三慧
京都工芸繊維大学美術工芸資料館	泉　マサ子	鶴見　香織
京都服飾文化研究財団	井上　芳子	時森　俊郎
国立映画アーカイブ	大野　裕之	富永　幸三郎
国立西洋美術館	岡野　久子	長井　健
滋賀県立美術館	Oliver Satomi	中川　可奈子
静岡ホビースクエア	Pierre Satomi	南塚　真史
大成建設ギャルリー・タイセイ	内藤　みち	橋本　紗英
Takuro Someya Contemporary Art	中原　泉	長谷川　壮
東京国立近代美術館	西原　健二	林　美佐
東京大学総合研究博物館	西村　美香	葉山　結花
東京都現代美術館	二瓶　圭子	弘中　智子
東京都庭園美術館	野澤　広紀	藤井　麻希
東京富士美術館		藤野　史子
特種東海製紙株式会社	荒井　保洋	松下　賢太
トヨタ博物館	石王　咲子	松原　始
箱根ラリック美術館	板谷　悠樹	水田　有子
Fondation Le Corbusier	稲冨　克彦	宮川　謙一
福岡市美術館	井上　彰人	宮本　法明
富士モータースポーツミュージアム	大木　香奈	村田　香奈子
ポーラ文化研究所	大澤　啓	山口　真有香
株式会社NANZUKA	太田　英伶奈	山田　公之
株式会社西日本新聞社	大野　智世	山田　創
日本カメラ博物館	小川　綾子	山田　隆行
武蔵野美術大学 美術館・図書館	尾立　麗子	山田　由希代
ヤマザキマザック美術館	折井　貴恵	吉田　三枝子
早稲田大学	鴨木　年泰	吉村　有子
有限会社ワタヌキ／ときの忘れもの	河　晴美	渡邉　セシル
	菊池　敏正	渡辺　美知代
大村美術館	喜安　嶺	綿貫　不二夫
	下田　泰也	渡抜　由季
	下出　茉莉	綿貫　令子

凡例

- 本図録は「モダン・タイムス・イン・パリ 1925―機械時代のアートとデザイン」の展覧会図録である。
- 本図録には、展覧会出品作品の図版を収録した。図版には、出品番号、作家名、作品名、製造社（製品のみ）、発行元（ポスター、印刷物のみ）、所蔵先を和文と英文で、制作年と所蔵者の意向によって所蔵番号を英文で表記した。
- 図版の掲載順は出品番号と必ずしも一致しない。
- 巻末には図版リストを収録し、出品番号、作家名、作品名、製造社名（製品のみ）、発行者（ポスター、印刷物のみ）、制作年、技法・素材、寸法（平面作品は縦×横 cm、立体作品は高さ（H）、幅（W）、奥行（D）、もしくは径（Diam.）cm、その他）、所蔵先を和文と英文で表記した。
- 巻頭の各論文、章解説、コラムの挿図には、それぞれ挿図番号（Fig.*）を記し、展覧会に出品する資料には資料番号を記した。
- 章解説・コラムの執筆者は、各テキスト末尾にイニシャルで担当を記した。
- 東海林洋（S.Y.）、岩﨑余帆子（I.Y.）、山塙菜未（Y.N.）

Remarks

- This catalogue is published in conjunction with the exhibition: *Modern Times in Paris 1925: Art and Design in the Machine-age.*
- Illustrations of works in the catalogue include the following data in Japanese and English: exhibit number, artist, title, company name (product), publisher (poster and publication), date, collection and accession number in accordance woth the wishes of collector.
- The plates in this catalogue are not necessarily presented in the order of the exhibit numbers.
- A full list of the works exhibited is included at the end of the catalogue include the following data in Japanese and English: exhibit number, artist, title, company (product), publisher (poster and publication), date, technique and material, dimention (2D works: height x width in cm, 3D works: height (H), width (W), depth (D), or diameter (Diam.) in cm), collection and accession number in accordance woth the wishes of collector.
- The illustrations included in the opening essays and the columns are indicated by illustration numbers (Fig.*), (D-*: the documents exhibited) within each essay, the section commentaries, column and chronology.
- The authors are as follows: Shoji Yoh (S.Y.), Iwasaki Yoko (I.Y.), Yamabana Nami (Y.N.)

CHAPTER 1

第1章
機械と人間:
近代性のユートピア
Man and Machine:
Modernist Utopianism

フランスでは1850年以降、全国に鉄道網が広がり、蒸気機関車に乗って週末のレジャーに出かけるなど、人々のライフスタイルは大きく変化した。さらに19世紀末には第二次産業革命と呼ばれる石油エネルギーによる重工業の発達によって、近代国家として成長していく。しかし、産業や経済の急速な発展は国際的な軋轢を生み、1914年には第一次世界大戦という人類史上初めての大規模な近代戦が勃発してしまう。

　この戦争を境に、人間と機械の関係は劇的に変化していく。大戦後には航空機や自動車など、人間の力を凌駕する機械が人々の生活にも普及し、来るべき新時代の象徴として機械が称揚され、金属製の工業製品や高層ビルを模した装飾に価値を見出す「機械時代」(マシン・エイジ)が到来した。第一次世界大戦を通して工業生産国として急成長したアメリカでは、1919年頃に「インダストリアルデザイン」という言葉が生まれ、工業製品にも洗練されたフォルムが追究された。職人的な手工業の伝統が根強く残っていたフランスでも、1922年にはシトロエン社が合理的なアメリカ型の生産システムをもとにオートメーション化された自動車工場を設立している(Fig.1)。戦禍による荒廃からの復興を目指した国々は、前時代を乗り越えながら社会や経済を発展させていくために、機械に理想の未来を託したのだった。

　機械がもたらした動力やスピードは美術家たちを刺激した。フェルナン・レジェは第一次世界大戦中に目にした大砲や航空機に魅了され、それまでのキュビスム的な作品から金属部品を組み合わせた絵画へと作風を変えた。また、独自の色彩論を探究したロベール・ドローネーは、航空機や船のスクリュー、また観覧車を思わせる回転盤のモティーフを採り入れ、色面が旋回するかのようなあざやかな作品を手掛けている。ドイツでは1919年に創設されたバウハウスが1923年に「芸術と科学技術の統合」を掲げて改組し、ワシリー・カンディンスキーやモホイ=ナジ・ラースローなどアーティストを教育者として招聘してデザインの研究を進め、その成果はモダンデザインの基礎として世界各国に影響を与えていく。

　しかし、人々が便利さと豊かさを求めた機械時代とは、本当に目指すべき理想的な未来だったのだろうか。戦勝国を中心に好景気に沸いた1920年代の終わり、1929年にニューヨークの株式市場の大暴落から世界恐慌が発生すると、世界の国々が連鎖的に経済危機に陥る。ヨーロッパにも1930年代初頭には恐慌の影響が現れ、イタリアやドイツはファシズムに向かう。恐慌後は機械に関わるユートピア的なヴィジョンは薄れ、1936年にアメリカで制作されたチャールズ・チャップリンの《映画「モダン・タイムス」》は、近代的な工場のシステムに文字通り飲み込まれてしまう人間の姿を冷笑的に描き出している。20世紀初頭における機械の普及は、確かに人々に利便性や経済的な豊かさをもたらした。しかし、それは合理性を追い求めて人間性を見失い、機械に支配されてしまうかもしれないという不安を誘うものでもあった。　　　　　　(S.Y.)

Fig. 1　シトロエン社の工場、1922年頃

1-01
蒸気機関模型
エリオット・ブラザーズ社
東京大学総合研究博物館
Steam Engine Model
Elliott Brothers Ltd.
The University Museum,
The University of Tokyo
1870s

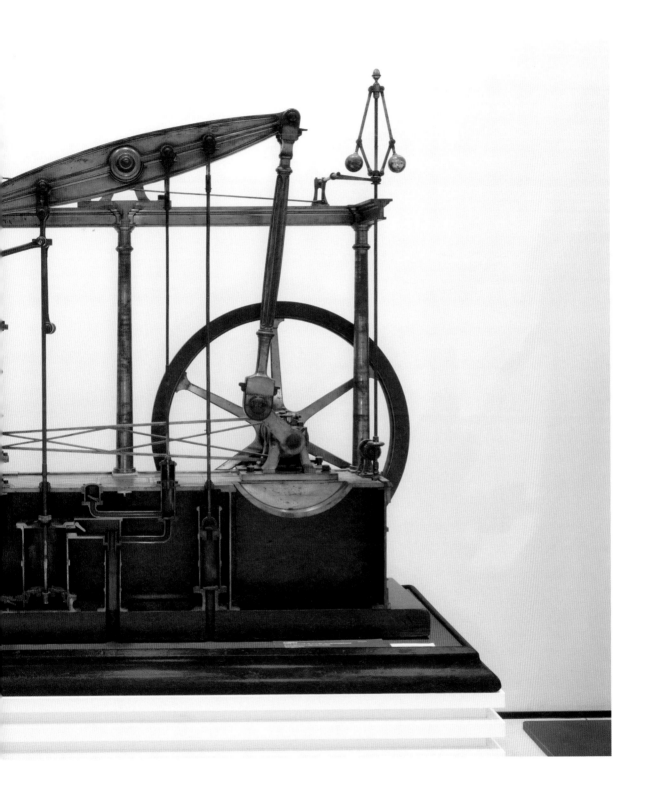

1-03
機構模型「ウォーム歯車機構」
グスタフ・フォークト社
東京大学総合研究博物館
Mechanical Model "Worm Wheel Mechanism"
Gustav Voigt Co.
The University Museum, The University of Tokyo
1880s

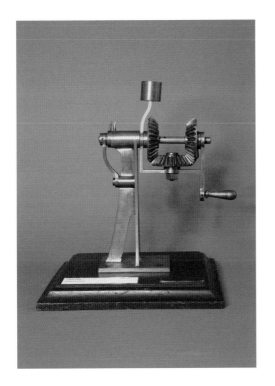

1-05
機構模型「差動歯車機構」
東京大学総合研究博物館
Mechanical Model "Differential Gear"
The University Museum, The University of Tokyo

1-02
機構模型「ラチェット」
東京大学総合研究博物館
Mechanical Model "Rachet"
The University Museum, The University of Tokyo

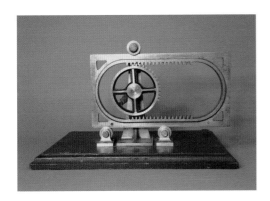

1-04
機構模型「歯車を用いた往復運動機構」
東京大学総合研究博物館
Mechanical Model "Reciprocating Motion Mechanism using a Gear"
The University Museum, The University of Tokyo

歯車とは、歯形の凹凸をかみ合わせることで動力を伝え、用途に応じて力のかかる方向や強さを調節する機械の部品である。洋の東西を問わず、近代以前から歯車は水車や時計、からくり人形などに用いられてきた。また、半導体が機械の主流となった現在でも、コンピューターやウェブサービスの「設定」メニューのアイコンとして用いられているように、歯車は目に見えない「エネルギー」を可視化するものとして、機械や機構の象徴となっている。

　1870年代以降、東京大学での機械工学の研究において、歯車を組み合わせた機構を説明するための模型が活用された。円筒状の歯車と斜歯を直角にかみ合わせた「ウォーム歯車」や、歯を傾けて回転方向を一方向に制限する「ラチェット歯車」などは、現代でも用いられる機械の基本構造である。　　　（S.Y.）

工場で働く労働者の主人公は、単純作業により精神に異常
をきたし、作業中に大型の機械の中に巻き込まれてしまう。入
院中の病院を抜け出して歩いていると、暴動の主導者と間違
われて刑務所に収監されるが、脱獄しようとした囚人を阻止し
た模倣犯として放免される。ある日、主人公は貧しい少女と出
会い、ともに暮らしデパートの警備員やキャバレーの給仕など
の職を転々としながら、人間性を取り戻していく。チャールズ・
チャップリン（1889-1977）による5作目の映画として製作され
たコメディ映画であり、機械時代に飲み込まれていく人々の姿
を描き出している。　　　　　　　　　　　　　　　（S.Y.）

1-08
チャールズ・チャップリン監督
映画「モダン・タイムス」
Charles Chaplin (Director)
Modern Times
1936

歯車に乗るチャーリー（映画「モダン・タイムス」のスチール写真」）
Charlie in the machine's cogs (Production still of "Modern Times")

1-06
クロード・モネ
サン=ラザール駅の線路
ポーラ美術館
Claude Monet
Train Tracks at the Saint-Lazare Station
Pola Museum of Art
1877

1-07
キスリング
風景、パリーニース間の汽車
ポーラ美術館
Kisling
Landscape, Train Paris-Nice
Pola Museum of Art
1926

1-09
エットーレ・ブガッティ
ブガッティ タイプ52（ベイビー）
ブガッティ社
トヨタ博物館

Ettore Bugatti
Bugatti Type 52 (Baby)
Bugatti
Toyota Automobile Museum
Late 1920s – Early 1930s

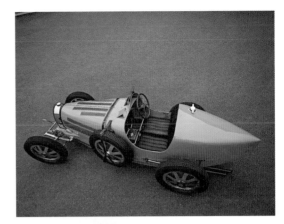

Fig. 1　エットーレ・ブガッティ《ブガッティ タイプ35B》ブガッティ社　1926年　トヨタ博物館
写真：田村孝介（『The Museum of MOTION』2017年、トヨタ博物館 より）

彫刻家の祖父を持ち、家具と宝飾デザイナーの父のもとにミラノ
で生まれたエットーレ・ブガッティ（1881-1947）は、早くから自動車
産業に関心をもち、1909年にフランスのアルザス地方に工場を
設立した。ここで彼は自らの設計によって高級車の製造を開始し、
素材の軽量化だけでなく、流線形の車体やディテールへのこだわ
りをはじめ、エンジンルームの内壁を研磨して仕上げ、内燃機構を
直方体の部品で構成するなど、機能だけではなく視覚的な美しさ
を追求した。この車体は1920年代にフランスで開催された多く
のグランプリ・レースで優勝した《ブガッティ タイプ35B》（Fig. 1）
をもとに2分の1スケールで製作した子供向け電気自動車である。
馬車をベースにした初期の自動車に対して、1920年代には航空
機を思わせる流線形の車体が登場している。　　　　　（S.Y.）

フランスの航空機メーカー、ル・ローン社が開発した星形回転式エンジン。機体にクランクシャフトを固定し、プロペラとともにエンジンを回転させる。エンジンそのものを回転させることで飛行中に冷却効果を高める作用があった。第一次世界大戦終結の1918年までに同社はフランス国内で約25,000基の星形エンジンを売り上げ、戦後にはライセンス契約によってドイツやイギリス、日本などでも約75,000基を生産した。本基は1924年（大正13）に「青嶋飛行機研究所」を設立した民間航空士、青嶋次郎の乗った機体に装備されていたイギリス製のエンジンである。　　　　（S.Y.）

1-10
航空機用星形エンジン（80馬力モデル9C）
W. ベルウィック社（ル・ローン社のライセンス）
株式会社青島文化教材社
Rotary Aircraft Engine (80 hp Model 9C)
W. Berwick (Le Rhône Licenced)
Aoshima Bunka Kyozai Co., Ltd.
1920s

1-11
航空機用プロペラ
株式会社青島文化教材社
Aircraft Propeller
Aoshima Bunka Kyozai Co., Ltd.

ルーマニアに生まれ、パリで活動していた彫刻家コンスタン
ティン・ブランクーシ(1876-1957)は、マルセル・デュシャン
(1887-1968)とフェルナン・レジェ(1881-1955)とともに航
空機の展示会を訪れ、プロペラが持つ形の美しさに魅せられた。
1923年から翌年にかけて制作した鳥の彫刻は、現実の似姿で
あることを脱し、航空機のプロペラや翼、流体力学模型のような、
飛翔や速度といった概念を感じさせる抽象的な「空間の鳥」シ
リーズに至った。続く1926年から1928年にかけて、彼は本作
品を含む「空間の鳥」を5つのバージョンにわたって制作している。
1926年のアメリカでの個展の折に、このシリーズの1点をニュー
ヨークに送ったところ、税関で「工業製品の物体」とみなされて
美術品に対する免税措置を認められず、作家は40パーセントの
関税を支払うことになった(1928年には裁判の末に訴えが認め
られて返金されている)。　　　　　　　　　　　(S.Y.)

1-21
コンスタンティン・ブランクーシ
空間の鳥
滋賀県立美術館
Constantin Brancusi
Bird in Space
Shiga Museum of Art
1926 (cast 1982)

1-14
蓄音機（H.M.V. 32型）
グラモフォン社
東京大学総合研究博物館
Gramophone (H.M.V. Model 32)
The Gramophone Co.
The University Museum, the University of Tokyo
1927

機械時代には技術の発達によって、それまで複製物に過ぎな
かった写真や映画、そして録音された音楽媒体が芸術作品
として受け入れられるようになった。トーマス・アルバ・エジソン
（1847-1931）が1877年に音を記録して再生する蓄音機
を発明してから、多くのメーカーが改良を重ねて大衆に普及し
た。はじめは錫や蝋で作られていたレコードは、20世紀初頭に
はセルロイド製となり、やがてプレスして製造するディスク型レ

コードが登場して大量生産が可能になった。1920年代にはラ
ジオの普及にともなって録音技術の向上や高級蓄音機の登場
もあり、家庭にいながら、あるいは外出先で本格的に音楽を鑑
賞することができるようになる。プリーツ状の振動紙を持つ《蓄
音機（H.M.V. リュミエール460卓上型）》（Cat. no. 1-13）
は、映画フィルムの発明で知られるルイ・リュミエール（1864-
1948）が発明した特許を利用した蓄音機である。　　（S.Y.）

1-13
蓄音機（H.M.V. リュミエール460卓上型）
グラモフォン社
東京大学総合研究博物館
Gramophone (H.M.V. Lumiere Table Model 460)
The Gramophone Co.
The University Museum, the University of Tokyo
1924 – 1925

1-15
蓄音機（ポケット・フォノグラフ）
ミッキーフォン
東京大学総合研究博物館
Gramophone (Pocket Phonograph)
Mikiphone
The University Museum,
the University of Tokyo
1924

1-16
アレクシス・コウ
ポスター「オッチキス」
トヨタ博物館
Alexis Kow
Poster "Hotchkiss"
Toyota Automobile Museum
1925

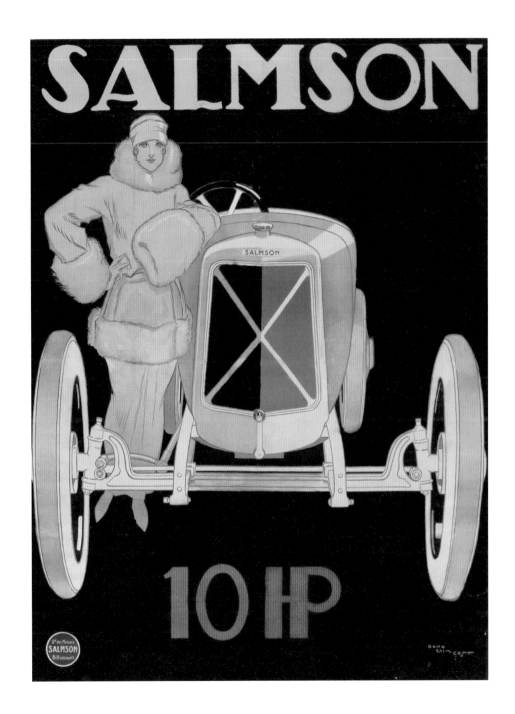

1-17
ルネ・ヴァンサン
ポスター「サルムソン 10HP」
サルムソン社
トヨタ博物館
René Vincent
Poster "Salmson 10HP"
Salmson
Toyota Automobile Museum
ca.1925

ルネ・ヴァンサン（1879-1936）は、パリの国立美術学校で建築を学ぶが、アメリカに渡り水彩画を始めてから、ファッション誌のイラストを手掛けるようになる。ブガッティやプジョーなど、当時急成長を遂げた自動車や部品メーカーからの依頼を多く受けて、1920年代において最も人気を博したポスター作家となった。流行の衣服に身を包んだ人物と自動車とを組み合わせた、繊細ながらダイナミックな表現を特徴とする。　　　　　　　　　　（S.Y.）

1-22
フェルナン・レジェ
鏡を持つ女性
ポーラ美術館
Fernand Léger
Woman at the Mirror
Pola Museum of Art
1920

第一次世界大戦に工兵として従軍中、太陽の光を反射する大砲の砲身や金属板の輝きに魅せられたレジェは、それまでの幾何学的な絵画から一転して、機械を主要なモティーフとして扱い始めた。機械の部品を思わせる磨き上げられた金属的な質感の形態を組み合わせ、人物や都市の風景を描いている。本作品は、1920年にレジェが手掛けた女性像であり、半円形や円柱、球という幾何学的な形を組み合わせ、手鏡に見入る女性像に仕上げている。(S.Y.)

1-23
フェルナン・レジェ
女と花
東京国立近代美術館
Fernand Léger
Woman and Flower
The National Museum of Modern Art, Tokyo
1926

レジェは1920年代半ばから、戦前に取り組んでいた形態の対比
が生む「形態のコントラスト」という概念を拡大していく。人物像
や静物という伝統的な主題(sujet)から、クローズアップや単純
化によって意味や象徴性を抜き取った「オブジェ」(objet)という
純粋な形の要素に還元し、画面の上で組み立てるコンポジション
の探究を続けた。本作品では、人物や花を無彩色で表し、あたか
も工業製品のような無機的な物体として描いている。それらの立
体感を滑らかなグラデーションによって強調し、平面的であざやか
な色彩の背景との強いコントラストを生じさせている。　　(S.Y.)

1930年頃から、レジェは金属的で重厚なモティーフによる構成か
ら離れ、複数の記号のようなモティーフが広がりのある空間の中
で浮遊する絵画を制作し始める。本作品では、チェスの駒や魚の
缶詰、地図記号を組み合わせたようなモティーフが青い背景の中
を漂い、幾何学的な形が添えられている。互いに無関係なものを
組み合わせる手法は、同時代のシュルレアリスムの手法に近いが、
レジェは違和感や象徴的な意味を生み出すのではなく、色や形が
自由に戯れる純粋な絵画へと還元しようとしている。　　(S.Y.)

1-25
フェルナン・レジェ
木の根のあるコンポジション
個人蔵
Fernand Léger
Composition with Root
Private Collection
1934

上｜Top　1-27
フェルナン・レジェ
《ラ・グランド・パレード》のための習作
個人蔵
Fernand Léger
Study for *La Grande Parade*
Private Collection
1952

下｜Bottom　1-26
フェルナン・レジェ
記念碑的構成
ヤマザキマザック美術館
Fernand Léger
Monumental Composition
The Yamazaki Mazak Museum of Art
1951

1-28
フェルナン・レジェ
サンパ
ヤマザキマザック美術館
Fernand Léger
Cenpa
The Yamazaki Mazak Museum of Art
1953

左｜Left　1-29
ロベール・ドローネー
傘をさす女性、またはパリジェンヌ
ポーラ美術館
Robert Delaunay
Woman with Umbrella
or La Parisienne
Pola Museum of Art
1913

右｜Right　1-30
ロベール・ドローネー
リズム 螺旋
東京国立近代美術館
Robert Delaunay
Rhythm-Spiral
The National Museum
of Modern Art, Tokyo
1935

1906年頃から当時の色彩論に立脚した新印象派に傾倒した
ロベール・ドローネー（1885-1941）は、1911年にはピュトー・グ
ループのキュビストたちとともに展示を行った。そしてエッフェル塔
や人物を配した空間を幾何学的に分析しつつ、新印象派が拠り
所とした光学理論で用いられる色相環の形を画面に採り入れた
「ディスク」や「円環」によって抽象化を進めていく。《傘をさす女
性、またはパリジェンヌ》（Cat. no. 1-29）では、都市生活者のモ
ダニティが色彩と形の実験的な構成の中に溶け込んでいる。音
楽的な調和を感じさせるロベールの絵画は、詩人で美術批評家
のギヨーム・アポリネール（1880-1918）によって「オルフィスム」
と称された。第一次世界大戦が勃発すると、妻ソニア・ドローネー
（1885-1979）とともにスペインやポルトガルに亡命し、この期
間にミシェル＝ウジェーヌ・シュヴルール（1786-1889）の光学理
論書『色彩の同時対比の法則』から引用した「同時対比」（シミュ
ルタネ）という独自の美意識を作り上げていった。また、ロベール
は早い時期から航空機に関心を持ち、円環を航空機のプロペラ
に重ね、機械時代のダイナミズムを感じさせる作品を制作してい
る。エッフェル塔や凱旋門を上空から捉えた新たな視覚体験への
関心を見ることができる。1930年代に入ると、彼は再び色彩によ
る抽象化を進め、連鎖する4つのディスクが上昇するように連なる
《リズム 螺旋》（Cat. no. 1-30）のように、リズムをテーマにし
た大型の作品を制作した。　　　　　　　　　　　　　（S.Y.）

49/75 Vue aérienne De La Tour   pour Robert Delaunay
Sonia Delaunay

1-31
ロベール・ドローネー
『版画集』
福岡市美術館
Robert Delaunay
Portfolio
Fukuoka Art Museum
1969 [Originally published: 1922-1926]

2   3

4   5

6   7

1. 空中からの塔のながめ
   Aerial View of the Tower

2. パリの橋とノートルダム寺院
   Bridges in Paris and Notre-Dame

3. 塔と女
   Tower and Woman

4. 塔
   Tower

5. 聖セヴラン教会
   Saint-Severin Church

6. モンマルトルの丘とサクレクール寺院
   Montmartre Hill and the Sacré-Cœur Temple

7. エトワール広場
   The Etoile Square

8. 街に臨む窓
   Window Overlooking the Town

9. 接吻
   An Embrace

8   9

機械時代の
デザイン・イン・アメリカ

1920年代から30年代にかけて、アメリカは機械の美意識を最も称揚した国となった。アメリカは第一次世界大戦に途中参加しながらも戦場とならず、豊富な資源と労働力を活かして工業生産国として急成長した。既に1910年代前半には自動車会社のフォード社が、複雑な生産工程を要素ごとに分解して分担する「流れ作業方式」によって、大量生産を可能にしていた。伝統的な手工業を基礎としたヨーロッパに対して、新興国であったアメリカでは、経験に頼ることなく、正確に大量に生産することのできる機械を多くの分野で積極的に導入している。

　好景気に沸いた第一次世界大戦以降、機械文明を称えるデザインがアメリカで流行した。機械時代に出現したデザインの特徴は、主に「素材」「形」「風景」に分けて捉えられる。機械やその部品に用いられる金属やプラスティックという新素材は、プロダクトデザインの可能性を大きく広げた。伝統的に木材で作られていた家具の素材を変え、金属や多種多様なプラスティックや、樹脂製のラッカー塗装、カラーガラスや、ガラスへのプリントを用いることで、表現の自由度が大きくなり、あざやかで明るい色彩の製品が登場している(Cat. no. 2-45)。あるいは、最新の技術によって作られた上方にかけてセットバックする高層建築や、乗り物の空気抵抗を抑える「流線形」(ストリームライン)を模した「機械のような形」のデザインも人気を博した(Fig. 2)。特に世界恐慌後には、機能は同じでも外形のみを「新しい」ものに変えて消費を喚起するために、1930年代には戦略的に「機械のような」デザインが急増する(Fig. 3)。また、グラフィック・デザインなどヴィジュアル・デザインの分野では、鉄やコンクリート製の工場や橋などの大型建造物が生み出す新たな風景を写し取ったマーガレット・バーク・ホワイト(1904-1971)らの写真が、グラフ雑誌やポスターに用いられた(Fig. 1)。こうしたアメリカから発信された合理主義的かつ機能主義的な機械時代のデザインは、フランスのアール・デコと混ざり合って世界的な潮流となっていった。　　　　　　　　　(S.Y.)

2-45
香水瓶「HIS」
ハウス・フォー・メン
ポーラ美術館
Perfume Bottle "HIS"
House For Men
Pola Museum of Art
1930s

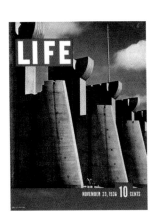

Fig. 1 『ライフ』1936年11月23日号、
タイム社、国際デザインセンター

Fig. 2 携帯蓄音機（RCA・ビクター・スペ
シャル）（デザイナー：ジョン・ヴァッソス）、1930
年代中期、RCA社、国際デザインセンター

Fig. 3 「RCA/スカイスクレーパー・ラジ
オ」1930年代初期、RCA社、国際デザイ
ンセンター

ワシリー・カンディンスキー（1866-1944）は帝政ロシアのモス
クワに生まれ、はじめ法律を学ぶも29歳にして転向し、ミュンヘ
ンに移住して絵画を学ぶ。1911年にフランツ・マルク（1880-
1916）らと「青騎士」を結成し、抽象絵画を推し進め、1912年
に『芸術における精神的なものについて』を刊行する。1922年
には、ワイマールに開校した教育機関バウハウスに招かれて教
鞭をとった。《支え無し》（Cat. no. 1-32）は、バウハウス時代
に育まれた彼の形への関心にもとづき、プロペラや送電線に由
来する幾何学的なモティーフを組み合わせ、旋回するようなダイ
ナミズムを感じさせる。カンディンスキーは幾何学や自然科学、舞
踊と並んで近代のテクノロジーに注目し、1926年に刊行した芸
術論集『点と線から面へ』の中で、貨物船の模型や鉄塔の画像
を線的構造物の例として引用している。　　　　　　（S.Y.）

1-32
ワシリー・カンディンスキー
支え無し
ポーラ美術館
Wassily Kandinsky
Without Support
Pola Museum of Art
1923

1933年にナチスの影響でバウハウスが閉鎖されると、カンディ
ンスキーはフランスに移住し、パリ近郊のヌイイ=シュル=セーヌ
に居を構えた。ここでバウハウス時代の厳格な抽象を脱し、幾何
学的な形の構成を活かして音楽を感じさせる絵画を制作した。本
作品は、顕微鏡で観察した微生物のような有機的な形がリズミ
カルに配置されている。　　　　　　　　　　　　　　　（S.Y.）

1-33
ワシリー・カンディンスキー
複数のなかのひとつの像
ポーラ美術館

Wassily Kandinsky
One Figure among Others
Pola Museum of Art
1939

バウハウスの
「芸術と科学技術の統合」

「私には特定の時代の造形には、その時代に合った手段で仕事をすることが当然と思える」
── モホイ＝ナジ・ラースロー『絵画・写真・映画』1925年

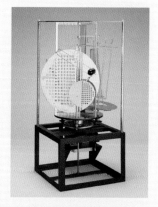

Fig. 1　モホイ＝ナジ・ラースロー《ライト・スペース・モデュレーター（電気舞台のための光の小道具）》[レプリカ] 1922-30／2006年、金属、プラスティック、ガラス、絵具、電気モーター　ハーバード大学附属ブッシュ＝ライジンガー美術館

ヴァルター・グロピウス（1883-1969）が1919年にドイツのワイマールに設立した美術教育機関バウハウスは、はじめ手工芸の教育研究機関であったが、1920年代初頭には徐々に機能主義的な性格を強めていった。1923年に「芸術と科学技術の統合」を掲げ新しい構成主義を目指し、ハンガリー出身のモホイ＝ナジ・ラースロー（1895-1946）を招聘する。モホイ＝ナジはここで写真やフォトグラム、タイポグラフィを組み合わせた実験的な作品制作に取り組んだ。1925年にワイマールからデッサウに移転した後に刊行された「バウハウス叢書」（全14巻）において、彼は装丁と9冊の表紙のデザインを担当している。

　伝統的な芸術の価値観では、機械を通して生み出される複製物（モホイ＝ナジは「再生産」と呼ぶ）は芸術的な創造ではないと考えられてきた。しかしモホイ＝ナジは、機械時代における芸術として、蓄音機や写真、映画という複製技術を積極的に制作に採り入れ、コラージュやフォトグラムの実験的な探究を続けた。1930年にパリで開催されたフランス装飾美術家協会のドイツ部門展で、彼の代表作となるキネティック彫刻《ライト・スペース・モデュレーター（電気舞台のための光の小道具）》(Fig. 1、オリジナルは現存せず)を初公開する。この作品は金属やガラス、プレキシグラスなどの透明な素材と木製の球体に、70個の着色電球と5つのスポットライトを投射し、光の反射と透過性による効果を狙った作品であり、モホイ＝ナジにおける「芸術と科学技術の統合」というバウハウス時代の探究の集大成となった。　　　　　　　　(S.Y.)

1-34
モホイ＝ナジ・ラースロー
フォトグラム
個人蔵
Moholy-Nagy László
Fotogram
Private Collection
1925 – 1928 (printed ca. 1929)

CHAPTER 2

第2章
装う機械:
アール・デコと博覧会の夢
Graceful Machines:
Art Deco and the Dream of the World's Fair

1925年にパリ現代産業装飾芸術国際博覧会(通称アール・デコ博)が開催された(Fig. 1)。1900年のパリ万博で建設された博覧会場であるグラン・パレから、セーヌ河にかかるアレクサンドル三世橋をわたり、アンヴァリッドまでの広大な土地を会場として、大小様々なパヴィリオンが建ち並んだ。1900年前後に流行したアール・ヌーヴォーの有機的で流麗なフォルムに対して、この会場で際立っていたのは幾何学的な建築物や装飾である。こうした造形性は、後にこの博覧会の名称から「アール・デコ」として、1920年代を代表するスタイルとして知られるようになる。しかし、このアール・デコという言葉が示す動向を捉えるのは容易ではない。1925年の博覧会がそうであったように、この文化を牽引したのは、百貨店やファッション・ブランドなど、シーズン毎に移り変わる消費文化の担い手であり、実際に博覧会に出展したパヴィリオンは富裕層向けの保守的なものから、無機的な装飾で統一した先鋭的なものまで実に多様であったからだ。大戦からの復興によって好景気に沸いた「狂騒の時代」という華やかな時代の中で生まれたアール・デコとは、共通する造形で統一された「様式」ではなく、モダン・アートや古典主義、異国趣味など、いくつもの要素が重なり合い、商業的な戦略のもとに発生した「流行」のようなものであった。確かに、1910年代には総合芸術を目指したウィーン工房の影響のもとに、キュビスムのような幾何学的に簡略化された造形を装飾芸術に応用しようとする動きがあった。しかし本来、近代主義(モダニズム)が目指す合理性においては、建築や日用品のデコレーションやオーナメントを余剰や付随と考え、「形は機能に従う」というモダンデザインの指針からすると、意味もなく幾何学化した装飾は、機能性を装った紛い物とみなされた。「住宅とは住むための機械である」と語ったル・コルビュジエは、この方針に従ってアール・デコを非難し、アール・デコ博にあえて装飾を排したパヴィリオン「エスプリ・ヌーヴォー館」を出展した。

　また、植民地政策によってもたらされたアフリカやアジアなどの「プリミティブ」な文化を含む異国趣味もパリの人々を魅了した。1910年代にはファッション・デザイナーのポール・ポワレやイラストレーターのジョルジュ・バルビエの描くエキゾチックなイラストレーションにみられるオリエンタル(東方的)な趣向が現れ、1922年にエジプトでツタンカーメンの墓が発掘されると、古代エジプト風のブームが巻き起こり、古代エジプトをモティーフにした香水瓶が多く生み出された。1925年にはアメリカからパリへと渡ったアフリカ系アメリカ人の歌手ジョセフィン・ベイカーが腰にバナナの飾りをつけて舞台上で踊り、アフリカの原住民を真似たパフォーマンスで人々を熱狂させている。こうした異国への眼差しは、アール・デコ博と同時期に企画されながらも、1931年に開催された「植民地博覧会」に集約されている。様々な要因が絡み合いながら、建築や室内、調度品を機械と調和させるために人々は装飾のイメージを刷新し、自動車や鉄道、豪華客船という最先端の機械を幾何学的な造形で装飾した。1925年の博覧会に現れたアール・デコという幾何学的な様式は、狂騒の20年代を生きた人々が新しい時代を目指して作り出した夢の造形であったのだ。

(S.Y.)

Fig. 1　アール・デコ博会場 鳥観図

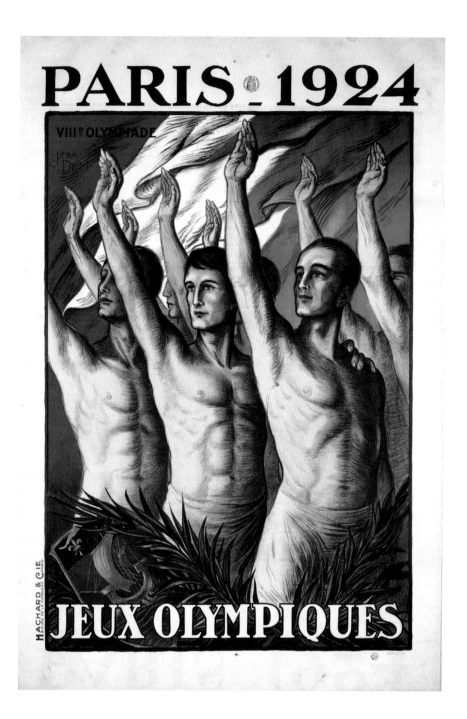

2-10
ジャン・ドロワ
ポスター「PARIS-1924 第8回パリ・オリンピック大会」
京都工芸繊維大学美術工芸資料館
Jean Droit
Poster "VIIIᵉ Olympiade / Jeux olympiques Paris 1924"
Museum and Archives, Kyoto Institute of Technology
After 1924
AN. 2679-22

2-01
ロベール・ボンフィス
ポスター「PARIS-1925 アール・デコ博」
京都工芸繊維大学美術工芸資料館
Robert Bonfils
Poster "PARIS-1925 / Exposition Internationale des Arts Décoratifs et Industriels Modernes"
Museum and Archives, Kyoto Institute of Technology
1925
AN. 2694-43

1925年
パリ現代産業装飾芸術国際博覧会
(アール・デコ博)

ドイツやオーストリアに遅れをとっていたフランスの装飾芸術の振興のため、フランス政府は1915年に博覧会を予定していた。しかし第一次世界大戦の勃発により延期となり、10年後の1925年に、パリのグラン・パレからアンヴァリッドにかけて造られた会場で開催された（Fig. 1）。開催国であるフランスを中心に、日本を含む22ヵ国が参加したが、ドイツやアメリカは不参加となったため、国ではなくフランス装飾芸術家協会によって架空の大使館の部屋を造る「フランス大使館」や、多くの装飾美術家が美術収集家の館をテーマに空間を造り上げた「コレクショヌール館」など、様々なコンセプトのパヴィリオンが出展した。

会場で一際目を惹いたのは、ルネ・ラリック（1860-1945）《泉の精 ガラテ》（Cat. no. 2-02）をはじめ13種類のガラス製の彫像128体を16段に積み上げた高さ15メートルの噴水塔「フランスの水源」（Fig. 2）である。内部に仕込まれた電気照明によって夜間は煌々と輝き、博覧会の夜を彩った。ラリックはこの噴水塔の他、ラリック館や香水館でも作品を展示するなど、この時代を代表する工芸作家となっていた。

また、この博覧会では百貨店やオートクチュール・メゾンなど商業施設が多く参加した点も大きな特色である。プランタン百貨店が1912年に自ら新製品を製造する工房「ラ・プリマヴェーラ」を創設したことをきっかけに、ギャルリー・ラファイエットは1921年に「ラ・メトリーズ」を、ルーヴル百貨店が「ストゥディウム・ルーヴル」、ボン・マルシェは「アトリエ・ポモーヌ」を開くなど、百貨店が自らモダン（現代的）な流行を作り出すために独自の工房を持っていた。アール・デコ博では、それぞれの百貨店のアトリエが趣向を凝らしたパヴィリオンを建設し、人々の注目を惹いた。また、セーヌ河にかかるアレクサンドル三世橋にはソニア・ドローネーの店を含む50もの店舗が「ブティック通り」を構成し、ファッション・デザイナーのポール・ポワレ（1879-1944）は、橋のたもとに3艘の船を浮かべて主宰するショップ「アトリエ・マルティーヌ」や化粧品会社「ロジーヌ」の商品で室内を彩り、ラウル・デュフィの下絵にもとづくテキスタイルを展示している。　　　　　（S.Y.）

Fig. 1　アール・デコ博会場風景
Fig. 2　アール・デコ博会場　ルネ・ラリック「フランスの水源」

2-02
ルネ・ラリック
泉の精 ガラテ
箱根ラリック美術館
René Lalique
Galatea
Lalique Museum, Hakone

1924

Fig. 1 「フランス大使館パヴィリオン」の応接サロン（アンリ・ラパン設計）
『イリュストラシオン』4286号、1925年 万博特集号より

夫人の部屋（アンドレ・グルー設計）
Chambre de Madame (André Groult)

 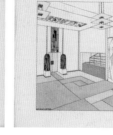

ホール（マレ=ステヴァンス設計）
Hall (Mallet-Stevens)

2-03
『フランス大使館パヴィリオン』
東京都庭園美術館
Pavillion de l'Ambassade française
Tokyo Metropolitan Teien Art Museum
1925

上 | Top　2-04
マリー・ローランサン
黄色いスカーフ
ポーラ美術館
Marie Laurencin
Yellow Scarf
Pola Museum of Art
ca.1928

下 | Bottom　2-05
マリー・ローランサン
ヴァランティーヌ・テシエの肖像
ポーラ美術館
Marie Laurencin
Portrait of Valentine Tessier
Pola Museum of Art
1933

アール・デコ博のハイライトのひとつがフランス装飾芸術家協会によるパヴィリオン「フランス大使館」であった。架空のフランス大使の館をイメージして、大広間や夫人の間、スポーツジムなどの部屋を異なる装飾芸術家が手掛けた。マリー・ローランサン（1883-1956）の絵画が架けられたアンドレ・グルー「夫人の部屋」は、曲線を用いた優美な家具を配している。対照的に、マレ＝ステヴァンス（1886-1945）が手掛けた広間には、単純化した幾何学的な照明が天井から吊り下げられ、エッフェル塔を描いたロベール・ドローネーの絵画や、フェルナン・レジェの抽象的な構成の作品が架けられている。　　　　(S.Y.)

2-08
テレーズ・ボニー
写真「ソニア・ドローネーがデザインした衣装に
身を包む女性」
京都服飾文化研究財団
Thérèse Bonney
Woman wearing the clothes designed by
Sonia Delaunay
The Kyoto Costume Institute
1925

帝政ロシア下のウクライナで生まれたソニア・テルクは、絵画を志してパリに渡って前衛芸術に参加する。同じ頃キュビスムの影響下に制作を進めていたロベール・ドローネーと結婚し、その後ソニア・ドローネーとして活動した。色彩の同時対比の理論を引用した「同時的」（シミュルタネ）という言葉は、しだいに色彩論を超えて独自の芸術理論の標語になっていく。色彩あふれる独自の抽象性を獲得し、詩人で美術批評家であったギヨーム・アポリネールによって「オルフィスム」と名付けられるなど、二人はパリの前衛芸術の中で高い評価を得た。

　第一次世界大戦が勃発すると、夫婦は中立国であったスペインに亡命し、「カーサ・ソニア」という店舗を構えて服飾やテキスタイルを扱い商業的に成功をおさめた。1921年にパリに拠点を移し、1923年にはダダの詩人トリスタン・ツァラ（1896-1963）の脚本になる舞台「髭の生えた心臓」のために、舞台セットと衣装をデザインするなど、ファッションに関わりながら芸術家との交流を保ち続ける（この公演にはパリ・ダダの主導権を巡ってツァラと対立していた

アンドレ・ブルトン（1896-1966）らが乱入し破壊されてしまった）。

　1925年のアール・デコ博では、「シミュルタネ」という店舗をアレクサンドル三世橋の「ブティック通り」に出展し、パリで本格的にファッションとテキスタイルのデザイナーとしてその名を広めた。　　　（S.Y.）

Fig. 1　ソニア・ドローネーのデザインした衣装とシトロエン社の自動車、アール・デコ博にて

2-07
ソニア・ドローネー
『絵画・オブジェ・同時的テキスタイル・モード』
発行：リブレリー・デザール・デコラティフ、パリ
京都服飾文化研究財団
Sonia Delaunay
Ses peintures, ses objets, ses tissus simultanés, ses modes
Published by Librairie des Arts Décoratifs, Paris
The Kyoto Costume Institute
1925

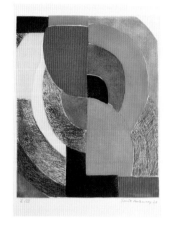

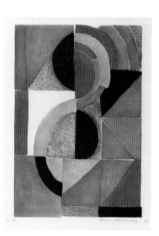

74

2-09
ソニア・ドローネー
版画集『わたし自身と』
福岡市美術館
Sonia Delauney
With Myself
Fukuoka Art Museum
1970

表層の魅惑

千葉真智子

　1920年代はアール・デコの時代であり、モダニズムの時代であった。同じ一つの時代が、これほど対象的な二つの言葉で括られるというのも特異なことではないだろうか。その経緯はといえば、装飾／機能、過剰／合理性云々といった対立軸に基づき、後者を自認するモダニズムによって批判的に概念形成されてきた前者の傾向が、ポスト・モダンにおいて「アール・デコ」の名のもとに復権したというのが大筋であろう（1966年の展覧会LES ANNEES "25": ART DÉCO/BAUHAUS/STIJL/ESPRIT NOUVEAUが契機とされる）。つまるところ両者は、「〜ではない方」として、共依存的に成立している。しかし、あるいは故にというべきか、両者はわかりやすく分断されているどころか密接に関わりをもち、見方を変えれば重なり合いもする。本展で示された「機械時代」というパラダイムは、それを解きほぐす一つの手がかりだともいえよう。そうとなれば重要なのは、そもそも機械それ自体をどう捉えるかということになる。私たちはこの総称的な言葉を曖昧にも当時の描写のなかでさまざまに使用してきた。以下にその整理をとおしてこの時代を考えてみたい。

　最初に大きなことを言ってしまえば、機械に象徴される合理性、経済性というモダニズムにおける生産のモードは、そもそも自立した概念ではないということである。つまり、単純なことに、大量に生産したものは「消費」を必然的に伴うという事実がある。量産できること、広く行き渡ること。それは近代を象徴する出来事であり、例えばフランスでは、批評家のロジェ・マルクスや装飾芸術家のフランシス・ジュールダンによって、社会芸術の観点から歓迎されながらも、一方で、アール・デコの特性とされる享楽的な消費行動も同様に、このモダニズムの生産原理によってこそ成立している。この大枠の前提が、1920年代

Fig. 1　1925年アール・デコ博におけるブティック通り

をみつめる補助線になる。実際つい忘れてしまうのは、私たちは生産者であると同時に消費者でもあるということである。合理性、経済性は消費と背中合わせの概念であり、この時代にこそ加速したものだった。そこには第一次世界大戦の経験が大きく横たわってもいるだろう。人類史上初となる世界規模の総力戦は、機械化を一気に推し進める契機となり、また戦争からの解放が、刹那的な20年代の文化の果実をもたらす。

　戦争による機械化の経験は、必然として距離と時間、速度の概念を大きく変えていくことになっただろう（かつて多木浩二が『戦争論』のなかで端的に記したように、航空機も自動車も鉄道も戦争の成果である）[1]。そして、この加速する世界は私たちの欲望を刺激し、また知覚や認識自体にも大きな変化を引き起こすことになった。だからモダニズムにおける合理性の象徴として人口に膾炙したル・コルビュジエの「住むための機械」も、ここでは別の見方をすることができるだろう。実際、ル・コルビュジエの手がけた住宅が、どれほどストイックだったと言えるだろうか？調整したモノクロ写真や自身のテキストによって巧妙に作られた、白い家のイメージと言説に対して、このときすでにル・コルビュジエの建物の内壁は眩い色で溢れていた（1931年にはスイスのザルブラ社からカラフルな壁紙シリーズを出すことになる）。そしてプロムナードを備えた回遊性のある建物が、カメラの目を通して様々に切り取られ、映画を比喩に描写されてきたことも、彼の建物がこの時代の知覚のあり方と密接に関わっていることを伝える。それは「目」のための享楽的な装置でもある。ル・コルビュジエとこの時期に深い親交を結んだフェルナン・レジェが、マルセル・レルビエ監督の映画『人でなしの女』（1924年）の工場セットをはじめ、好んで映画の舞台美術の仕事に携わり、当時パリにおいてル・コルビュジエ以上に活躍していた建築家の

Fig. 2　「通りの芸術」, l'Art vivant,
1925年12月1日掲載記事

Fig. 3　映画『人でなしの女』（1924年）におけるマレ＝ステヴァンスによるセット

ロベール・マレ=ステヴァンスが同じく多くの映画に関わり（Fig. 3）、さらに彼が手がけた「ノアイユ邸」を舞台にマン・レイが『骰子城の秘密』（1929年）を撮影し、彼が一区画全ての建築を担当したパリ16区のマレ=ステヴァンス通りで、映画『南海の女王』（1927年）の撮影が行われたのを思い出してみてもいいだろう。カメラ＝機械の目は、モダニズムにおける建築・空間と高い親和性をもち、その欲望と密接に関わっている。

　この点をさらに推し進めて考えてみれば、メタファーとしての、表象としての「機械」という側面に一層注視してみたくなる。一体、機械の魅惑とはどこにあったのか。それはモダニズムの言説で言われるような性能、機能に留まらぬ、むしろそれ以上に、つるつるとした光沢のある金属の表面にこそあったのではないだろうか。

　アール・デコと総称されるこの時期のデザインは、異なる素材を様々に組み合わせた点に一つの特徴があったとされるが、なかでも光を反射する金属は木材と組み合わせるなどして積極的に使用された。そして面白いことに、アジア起源の伝統的な漆もまた、パリでは黒く光を反射するその表面によって、同様のレトリックを用いて現代的なものとして注目されるようになった。新進のデザイナー、シャネルの黒いドレスが、『ヴォーグ』誌においてフォードの車と比較して賞賛された背景には、合理性に合致した機能美に加え、この光を孕んだ黒のもつ現代性への関心があっただろう[2]。ランヴァンやポール・ポワレをはじめとする有名ブランドがディスプレイに使用したシエージェルの新型のマネキンは、ブランクーシのブロンズ彫刻にも似て、限りなく抽象化されたつるつるの顔をもち、ときに金や銀にも塗装されて表面としての人体を披露するようになる。1925年のアール・デコ博において、アレクサンドル3世橋上に展開した50店舗からなる「ブティック通り」（Fig. 1）では、深度のない、表層としての仮設建築が連なり、魅惑的なマネキンの並ぶショーウィンドウが注目を浴びた（Fig. 2）。フランスでモダンの代表と目された建築家で装飾家のルネ・エルブストはそれらを『1925年パリ現代産業装飾芸術国際博覧会におけるショップのフロント、ショーウィンドウ、設置方法（Devantures Vitrines Installations de Magasins à l'Exposition Internationale des Arts Décoratifs, Paris 1925）』にまとめ、また国内外の最新のショップショーウィンドウの動向について取り上

Fig. 4　スタイン＋ド・モンジー邸（ガルシュ）邸、1927年

げた書籍を複数編集出版することになる。そしてレジェは、1923年のエッセイのなかで
ウィンドウ・ディスプレイの技法に芸術の手本を見てとり[3]、さらに建物の表層の連なりで
ある街路を一つの芸術とまで称して、ショーウィンドウとマネキンを礼賛した[4]。こうしていく
つもの例を挙げていくうちに、表面への関心を通して当時の作家たちが一気に結びつく
のではないか。

　ここにモダニズムとアール・デコの言説が邂逅する。表面、皮膜の魅惑へと注がれた
欲望。建物に付随する装飾にかわる、表面そのものとしての、ショーウィンドウを備えた享
楽と消費を誘う建築が、ル・コルビュジエやグロピウスら合理主義とみなされるモダニズム
の建築家たちと遠くない位置にあることが浮かびあがる。

　彼らの建築において、実際に問題となったのは構造ではなくむしろ表面にあったと言っ
たら言い過ぎだろうか。鉄骨鉄筋コンクリート構造により、壁による支えを必要としなくなっ
た新しい建築では、カーテンウォールが可能となり、内外の境界としての表面、被覆こそ
が外部に向けて建物について語るメディアになる。ル・コルビュジエが「建築とは芸術であ
り、感動を起こす現象であって、構造の問題の外にあり、それを超えたところにある」[5]とし、
また「建築は光のもとで集められた、見事で、正しい、荘厳な立体の戯れであり、建築家の
役目はこれらの立体を覆う表面を活性化することである[6]」と述べたのはその一つの証左
と言えるだろう。ル・コルビュジエがスイス時代の1910年から11年にかけて、学校の命を
受けてドイツの最新の装飾・産業芸術についてつぶさに調査し、既にショーウィンドウの
効果について報告していたこともここで補足しておくとよいかもしれない[6]。

　表面は、いかようにも装飾可能なカンヴァスであり、その証拠に機械時代の産物であ
る光のなかで、ショーウィンドウやカーテンウォールをもつ建築は文字通り内外を反射す
るスクリーンとなる(Fig. 4)。映画の、カメラの原理がここに飛来する。機械と機能美
は、構造を内に抱えたままそれを覆い遮断する、魅惑的な表皮としての存在を可能にし
た。機械の実質的な合理性は深く消費社会と結びつき、アール・デコの言説とモダニズ
ムの言説とがともに魅惑された表面、表層の美学を明らかにする。そしてモニター越しに
世界を捉えているいま現在の私たちはこの時代の申し子とも言えるだろう。

[ちば・まちこ | 豊田市美術館学芸員]

1. 多木浩二『戦争論』1990年、岩波書店
2. "Chanel's Ford", *Vogue*, October 1926
3. Fernand Léger, "Kurzgefasste Auseinandersetzung über das Aktuell künstlerische Sein," *Das Kunstblatt*, 7 1923
4. Fernand Léger, "La rue: objets, spectacles," *Cahiers de la République des Lettres, des Sciences et des Arts*, 12, 1928
5. Le Corbusier, *Vers une architecture*, Paris, Éditions Crès, 1923(ル・コルビュジエ、吉阪隆正訳『建築をめざして(SD選書)』鹿島出版会、1967年
6. 前掲書
7. Charles-Edouard Jeanneret(Le Corbusier), *Étude sur le Mouvement d'Art Décoratif en Allemagne*, Haefeli et Cie, La Chaux-de-Fonds, 1912

Musique, boulevard Raspail.   A. Drouet et J. Disse, architectes.

ラスパイユ通りのオーディオ機器店（A. ドローエ、J. ディッセ設計）
Audio Shop, Boulevard Raspail(A. Drouet and J. Disse)

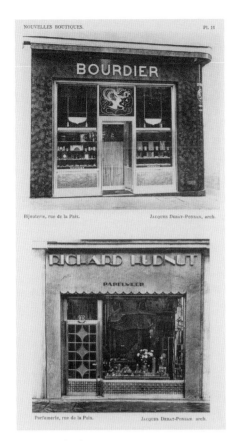

リュ・ド・ラ・ペの宝石店
リュ・ド・ラ・ペの香水店
（ジャック・デュバ＝ポンサン）
Jewelry shop, Rue de la Paix
Perfumerie, Rue de la Paix
(Jacques Debat-Ponsan)

2-06
『新しい店舗デザイン、ファサードとインテリア』
東京都庭園美術館
Nouvelles boutiques façades et intérieurs
Tokyo Metropolitan Teien Art Museum
1929

2-11
オルシ
ポスター「エトワール劇場 ラ・ルビュ・ネーグル」
京都工芸繊維大学美術工芸資料館
Orsi
Poster "Théâtre de l'Etoile La Revue Nègre"
Museum and Archives, Kyoto Institute of Technology
1925
AN. 2679-03

2-12
ジャン・ヴィクトル・ドゥムール
ポスター「1931年パリ万国植民地博覧会」
京都工芸繊維大学美術工芸資料館
Jean Victor Demeures
Poster "Exposition coloniale internationale Paris 1931"
Museum and Archives, Kyoto Institute of Technology
1931
AN. 4230

ノルマンディー号

ニューヨークとフランスのル・アーヴル間の定期航路を持っていたフレンチ・ライン社によって1935年に就航したノルマンディー号は、全長312メートル、幅36メートル、容積79,280トンに及ぶ当時世界最大の豪華客船である（Fig. 1）。大西洋航路を4日で運行する最新の技術を持ち、内装はルネ・ラリックやジャン・デュナンなど同時代を代表する作家が参加した、技術と装飾の粋を集めた客船であった。1931年に起工されたものの、世界恐慌の影響でフレンチ・ライン社は資金難に陥り、フランス政府の援助を受けて完成した。「浮かぶヴェルサイユ」と称されたノルマンディー号には、船内に劇場やプール、礼拝堂を備えており、特に高さ8.5メートルに及ぶ3層吹き抜けのダイニングルーム（Fig. 2）には、ラリックによるシャンデリアや、高さ4メートルのトーチランプ、高さ3メートルの壁付け照明、中央には高さ3メートル直径1.5メートルの照明が設置され、それぞれのテーブルにはこの客船のためにデザインしたランプ（Cat. no. 2-48）が置かれていた。　　　　　　　　　　　　　　　　　　　　　　　　　　　　（S.Y.）

2-48　ルネ ラリック テーブルランプ「ノルマンディー」箱根ラリック美術館
René Lalique Table Lamp "Normandie"
Lalique Museum, Hakone 1935

Fig. 1

Fig. 2

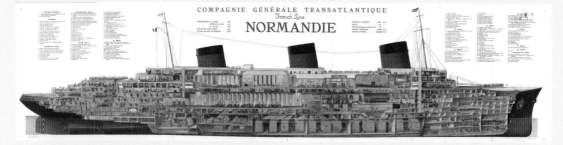

Fig. 1　ハドソン河を航行するノルマンディー号
Fig. 2　ノルマンディー号一等ダイニングルーム　『ノルマンディー号』1936年頃より
Fig. 3　『ノルマンディー号の断面図』1935年より

2-14
A.M. カッサンドル
ポスター「ノルマンディー号」
京都工芸繊維大学美術工芸資料館

A. M. Cassandre
Poster "Normandie"
Museum and Archives,
Kyoto Institute of Technology

1935
AN. 4739

ノルマンディー号のポスターを依頼されたA.M. カッサンドル（本名アドルフ・ジャン＝マリー・ムーロン、1901-1968）は、船体の長さや豪奢な内装という要素を切り捨て、船を正面から仰ぎ見る大胆な構図を選択した。垂直方向に伸びる左右対称の黒い船体のフォルムを中央に配置し、飛ぶ鳥の群れを船体の側面に小さく添えることで、客船の船舶の異様なまでの巨大な印象を伝えている。単純な造形を組み合わせているが、上部のファンネル（煙突）から立ち昇る煙の流れや、喫水線に見える白い波は、この船が航行中であることを示している。

(S.Y.)

左｜Left　2-13
A.M. カッサンドル
ポスター「エトワール・デュ・ノール（北極星号）」
京都工芸繊維大学美術工芸資料館
A.M. Cassandre
Poster "Etoile du Nord"
Museum and Archives,
Kyoto Institute of Technology
1927
AN. 3432

右｜Right　2-15
里見宗次
ポスター「日本国有鉄道」
京都工芸繊維大学美術工芸資料館
Mounet Satomi
Poster "Japanese Government Railways"
Museum and Archives,
Kyoto Institute of Technology
1937
AN. 4846-01

カッサンドルは帝政ロシア下のウクライナの都市ハリコフで、フランス人の父のもとに生まれ、フランスで教育を受ける。第一次世界大戦の勃発とロシア革命により一家はパリに移住した。はじめ絵画を志すも、1919年にポスターのコンクールで入賞し、1922年には21歳にして「カッサンドル」という名でポスター作家としての道を歩み始めた。アール・デコ博ではグランプリを受賞し、1927年に制作した北方鉄道（ノール・エクスプレス）のポスターによって人気を確かなものにする。《ポスター「エトワール・デュ・ノール（北極星号）」》（Cat. no. 2-13）は、画面上方に輝く五芒星の頂点に向かって、線路が切り替え地点から長く鋭い針のように収斂していく遠近法を用いた作品である。列車の広告にもかかわらず画面に車体そのものは登場しない。街路で際立つように大胆に要素を限定して幾何学的に単純化し、太いタイポグラフィを用い、工業製品の塗装に用いられるエアブラシによって極端なグラデーションを施している。　　　　　　　（S.Y.）

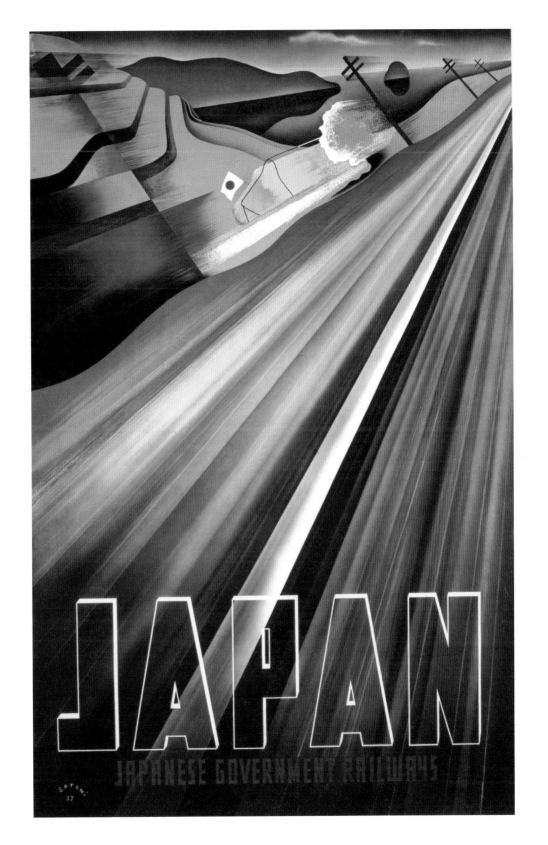

2-30, 2-31
ルネ・ラリック
香水瓶「ジュ・ルヴィアン（再来）」
ウォルト社
ポーラ美術館
René Lalique
Perfume Bottle "Je Reviens"
Worth
Pola Museum of Art
Model executed on December 2, 1929

2-32
マルク・ラリック
香水瓶「ジュ・ルヴィアン（再来）」
ウォルト社
ポーラ美術館
Marc Lalique
Perfume Bottle "Je Reviens"
Worth
Pola Museum of Art
After 1952

ルネ・ラリック
カーマスコット「彗星」
箱根ラリック美術館
René Lalique
Car Mascot "Comet"
Lalique Museum, Hakone
1925

下｜Bottom　2-47
ルネ・ラリック
カーマスコット「勝利の女神」
箱根ラリック美術館
René Lalique
Car Mascot "Victory"
Lalique Museum, Hakone
1928

2-24, 2-25, 2-26, 2-27
ルネ・ラリック
香水瓶「ダン・ラ・ニュイ（夜中に）」
ウォルト
ポーラ美術館
René Lalique
Perfume Bottle "Dans La Nuit"
Worth
Pola Museum of Art
1924

2-16

2-17

2-18

2-19

2-20

2-21

2-22

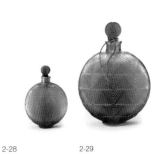

2-23　　　　　　2-28　　2-29

2-16　ルネ・ラリック　香水瓶「アンブル・アンティーク
（古代の琥珀）」　コティ社　ポーラ美術館
René Lalique　Perfume Bottle "Ambre Antique"
Coty　Pola Museum of Art
Model executed in 1910

2-17　ルネ・ラリック　香水瓶「ナルシス／エレガンス」
ドルセー社　ポーラ美術館
René Lalique　Perfume Bottle "Narcisse/Elégance"
D'Orsay　Pola Museum of Art
Model executed around 1922

2-18　ルネ・ラリック　香水瓶「ル・リス（百合）」
ドルセー社　ポーラ美術館
René Lalique　Perfume Bottle "Le Lys"
D'Orsay　Pola Museum of Art
Model executed around 1922

2-19　ルネ・ラリック　香水テスター「レ・フルール・ド
ルセー（オルセーの花）」　ドルセー社　ポーラ美術館
René Lalique　Perfume Tester "Les Fleurs d'Or-
say"　D'Orsay　Pola Museum of Art
Model executed around 1925

2-20　ルネ・ラリック　香水瓶「ミスティ」［ボトル名：ラ
ンティキュレール・フルール（花文扁豆型）］
L.T. ピヴェール社　ポーラ美術館
René Lalique　Perfume Bottle "Misti/Lenticulaire
Fleurs"　L. T. Piver　Pola Museum of Art
Model executed in 1920

2-21　ルネ・ラリック　香水瓶「ミスティ」［ボトル名：ラ
ンティキュレール・フルール（花文扁豆型）］
L.T. ピヴェール社　ポーラ美術館
René Lalique　Perfume Bottle "Misti/Lenticulaire
Fleurs"　L. T. Piver　Pola Museum of Art
Model executed around 1920

2-22　ルネ・ラリック　香水瓶「スカラベ」
L.T. ピヴェール社　ポーラ美術館
René Lalique　Perfume Bottle "Scarabée"
L. T. Piver　Pola Museum of Art
Model executed around 1922

2-23　香水瓶「ロクロワ／黄金の夢」
L.T. ピヴェール社　ポーラ美術館
Perfume Bottle "Rocroy/Rêve d'Or"
L. T. Piver　Pola Museum of Art
1925

2-28, 2-29　ルネ・ラリック　香水瓶「ヴェール・ル・ジュー
ル（夜が明けるまで）」　ウォルト社　箱根ラリック美術館
René Lalique　Perfume Bottles "Ver le Jour"
Worth　Lalique Museum, Hakone
1926

2-34   2-33

2-35

2-36

2-37

2-38

2-39

2-41

2-42

2-40

2-33, 2-34　ルネ・ラリック　香水瓶「ラ・ベル・セゾン（美しき季節）」　ウビガン社　ポーラ美術館
René Lalique　Perfume Bottles "La Belle Saison"
Houbigant　Pola Museum of Art
Model executed on March 3, 1925

2-37　香水瓶「シャリマー（愛の館）」
ゲラン社　ポーラ美術館
Perfume Bottle "Shalimar"
Guerlain　Pola Museum of Art
After 1924

2-40　香水瓶「ミラクル（奇跡）」
ランテリック社　ポーラ美術館
Perfume Bottle "Miracle"
Lentheric　Pola Museum of Art
1924

2-35　ルネ・ラリック　香水瓶「リラ」
ウビガン社　ポーラ美術館
René Lalique　Perfume Bottle "Lilas"
Houbigant　Pola Museum of Art
Model executed on August 1st, 1925

2-38　香水瓶「リュ・ド・ラ・ペ（平和通り）」
ゲラン社　ポーラ美術館
Perfume Bottle "Rue de La Paix"
Guerlain　Pola Museum of Art
1925

2-41　ルネ・ラリック　香水瓶「ナルシス／アルテア（むくげ）」　ロジェ・エ・ガレ社　ポーラ美術館
René Lalique　Perfume Bottle "Narcisse/Althéa"
Roger et Gallet　Pola Museum of Art
Model executed around 1912

2-36　ルネ・ラリック　香水瓶「牧神の花束」
ゲラン社　ポーラ美術館
René Lalique　Perfume Bottle "Bouquet de Faune"
Guerlain　Pola Museum of Art
1925

2-39　香水瓶「ヴォル・ド・ニュイ（夜間飛行）」
ゲラン社　ポーラ美術館
Perfume Bottle "Vol de Nuit"
Guerlain　Pola Museum of Art
1955

2-42　ルネ・ラリック　香水瓶「パクレット（ひな菊）」
ロジェ・エ・ガレ社　ポーラ美術館
René Lalique　Perfume Bottle "Paquerettes"
Roger et Gallet　Pola Museum of Art
Model executed around 1919

2-43
香水瓶「ニュイ・ド・シーヌ（シナの夜）」 ロジーヌ（ポール・ポワレ主宰）社
ポーラ文化研究所

Perfume Bottle "Nuit de Chine" Rosine
Pola Research Institute of Beauty & Culture

1913

2-44
香水瓶「1925」 ロジーヌ（ポール・ポワレ主宰）社
ポーラ美術館

Perfume Bottle "1925" Rosine
Pola Museum of Art

1925

D-2-11
リチャード・ル・ガリエンヌ著、ジョルジュ・バルビ
エ画「香りのロマンス」発行:リチャード・ハドナッ
ト、ニューヨーク; パリ ポーラ文化研究所

Richard Le Gallienne(text); George Barbi-
er(ill.), *Romance of Perfume*, Pulished by
Richard Hudnut, Newyork; Paris, POLA
Research Institute of Beauty & Culture

1928

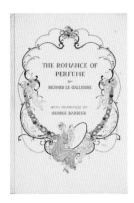

D-2-7〜D-2-10
ジョルジュ・バルビエ『暦本 月々の花飾り』発
行:メイニアル、パリ、1917-1921年、ポーラ文
化研究所

George Barbier, *La Guirlande des Mois*,
Published by Maynial, Paris, POLA Re-
search Institute of Beauty & Culture

1917 – 1921

ルネ・ラリックの香水瓶と
1925年の香水サロン

1900年のパリ万国博覧会で、宝飾のデザインで人気を博したルネ・ラリックは、1905年に高級宝飾店が集まるパリのヴァンドーム広場に店を開いた。しかしアール・ヌーヴォー様式の人気の衰えと新たなファッションの動向により、ラリックの宝飾品も人気に陰りがみえ始めていた。

1908年、調香師のフランソワ・コティは、ラリックに香水瓶のボトルのラベルデザインを依頼した。同年、ラリックはパリ東方のコン＝ラ＝ヴィルにあったガラス工場を借り（のちに購入）、本格的にガラス工芸品の生産を始めた。1910年、コティはラリックに香水のボトルデザインを依頼、《アンブル・アンティーク（古代の琥珀）》（Cat. no. 2-16）が生まれた。

ラリックは1912年以降、ガラス工芸品の製造に専念するようになった。彼は型吹きやプレス成形等の独自のガラス製法を開発し、芸術と産業を結びつけることに成功した。そしてウビガン、モリナール、ドルセー、ロジェ・エ・ガレ、ウォルトなど、当時の最も有名な香水商の商品やファッション・ブランドのデザイナー香水の瓶をデザインしている。ラリックの香水瓶は、1910年代では透明ガラスを基本として植物や昆虫、貝などといった自然のモティーフや女性像を採り入れたデザインが多いが、1920年代には色のついたガラスの使用や、素地のガラスに直線や曲線を組み合わせた幾何学的な抽象文様が施されたデザインも見られるようになる。

ラリックはガラス工芸家として知られるようになり、第一次世界大戦後の1921年にアルザス地方のヴィンゲン＝シュル＝モデールに最新設備を整えた新たな工場を建設、事業の規模を拡大させていった。そして、豪華客船の壁面装飾や照明器具、花瓶、置時計、テーブルウェア、カーマスコットなどの製作等により、ガラス製品メーカーのブランド・イメージを作り上げていった。

1925年4月から10月まで、パリでアール・デコ博が開催された。この博覧会は装飾芸術に限定され、様式的な独創性と新しさの提示が目指された。各百貨店は「アトリエ」と呼ばれる家具工房を設立してパヴィリオンを出店、産業と芸術と商業の融合の成功を誇示した。この博覧会展示のひとつは女性の衣装・装身具産業にあてられ、衣服、装飾品、帽子、香水、装身具・宝飾品に分かれて展示された。博覧会の会場の一つであるグラン・パレの中には、産業の分類「クラス23」として「フランスの香水サロン」が造られた。ラグネとマイヤールの装飾によるパヴィリオンの中に、香水メーカーやファッション・ブランドがそれぞれ自社の製品を展示し、香水がファッションと並んでフランスが世界をリードする産業であることをアピールした。各メーカーの展示スペースには、《ナルシス／アルテア（むくげ）》（ロジェ・エ・ガレ）（Cat. no. 2-17）、《ラ・ベル・セゾン（美しき季節）》（ウビガン）（Cat. nos. 2-33、2-34）、《ダン・ラ・ニュイ（夜中に）》（ウォルト）（Cat. no. 2-24）、《ミスティ》（L.T.ピヴェール）（Cat. nos. 2-20、2-21）など、ラリックによるボトルデザインの香水が数多く展示された。

ラリックはこの香水サロンの中央に配置された、デザイナー香水を展示する8区画の小サロンの上部の装飾を製作している。香水の持つ無形性と非現実性を象徴したこの「香水の泉」として知られる高さ6メートルのガラスの装飾（Fig. 1）は、透明と半透明の長い曲線アーチを描く板状の成形ガラスを組み合わせたもので、香水が噴水からサロンの空間に注ぎ込むような印象を作り出している。展示スペースを持っていた香水メーカーは、装飾芸術家に依頼するなど、自社の製品の展示ディスプレイに工夫を凝らした。香水メーカーのロジェ・エ・ガレは、ラリックに製品の展示ディスプレイデザインを依頼している。

　ラリックはこの博覧会でガラス部門の責任者を務め、自社の展示場「ラリック館」の設置が認められた。また、香水サロンの装飾の他に、メイン会場のアンヴァリッド大広場の中央に設置された高さ15メートルのガラス製の噴水塔《フランスの水源》も製作している。香水瓶の製作から始まったガラス工芸家としてのルネ・ラリックは、この博覧会で再び名声を確立したのである。

（I.Y.）

主要参考文献：
Félix Marcilhac, *René Lalique, 1860-1945: maître-verrier: analyse de l'œuvre et catalogue raisonné*, Les Editions de l'Amateur, 1989
ベルナール・ガングレール著『香水瓶の図鑑』（木村高子訳）、原書房、2014年
マルティーヌ・シャザル監修『香水瓶の世界: きらめく装いの美』展図録、ロータスプラン株式会社、2010年
マルティーヌ・シャザル著『香水瓶の至宝: 祈りとメッセージ』展図録（岡村嘉子翻訳監修）、ロータスプラン株式会社、2018年

Fig. 1　香水サロンの「香水の泉」、1925年

2-57
ラウル・デュフィ
パリ
ポーラ美術館
Raoul Dufy
Paris
Pola Museum of Art
1937

ラウル・デュフィ（1877-1953）は1911年からポール・ポワレ
のためにテキスタイルのデザインを制作するなど、装飾芸術に最
も大きな関りを持った画家のひとりである。1924年に彼はボー
ヴェの織物製作所から「パリとその名所」をテーマにした家具や
屏風のデザイン製作の依頼を受け、パリを俯瞰した視点からとら
えた屏風や、シャンゼリゼ通りやオペラ座などの名所を背もたれ
に施したテキスタイルの下絵を提供した。その後もコレクターから
の依頼を受けて、デュフィは家具や屏風のために異なるバリエー
ションの下絵を制作している。同じテーマのもとに油彩画の屏風
として制作された本作品では、画面ごとに4つの異なる時間帯に
分割し、テキスタイルでは表現できない絵具の塗り重ねによる多
層的な色彩によってパリの華やかな姿を表している。　　（S.Y.）

エコール・ド・パリ

「エコール・ド・パリ（パリ派）」という名称は、狭義では20世紀初頭から1920年代にかけて新しい芸術を生み出し続けてきたパリに惹き寄せられながら、いずれの流派にもグループにも加わることなく、個性豊かな表現を花開かせた異邦人芸術家を指すものとして用いられている。アメデオ・モディリアーニ（1884-1920）のように、同時代の前衛芸術とは対照的に、素朴で郷愁を感じさせる彼らの作品は、彼らのうちの多くが過ごした退廃的なボヘミアン生活とともに、近代都市パリの多様性を象徴するものとして、人々を魅了してきた。

　しかし近年の研究では、この呼称はむしろ第一次世界大戦以降のフランスで高まったナショナリズムによって起きた排外主義的な風潮によって生み出されたものであったことが強調されている。戦後、フランスへ流入する外国人の数は増え続け、移民の割合は、1901年には全人口の3800万人の2.7パーセントにあたる105万人から、1921年には4パーセントにあたる153万人となり、1926年には5.9パーセントの241万人となっていた。こうした社会状況の中で、美術の領域でも保守的な人々の間に外国人への不信感が広がり、無鑑査の公募展であるアンデパンダン展は1923年にはそれまで様式別に区分されていた展示を、出身国ごとにアルファベット順に並べることに決定した。これに反発して1924年にはキスリング（1891-1953）やキース・ヴァン・ドンゲン（1877-1968）ら多くの作家たちの脱退を招くなど、大きな議論を巻き起こしていく。排外的な批評家ロジェ・アラール（1885-1961）は、純粋な「フランス派」（エコール・フランセーズ）を盛り立てるために、パリを拠点とする外国人芸術家を非難し、1924年2月に雑誌のレビュー上で「エコール・ド・パリ」という言葉を初めて使った。この批判に対して、外国人芸術家を擁護する批評家アンドレ・ワルノー（1885-1960）は、1925年1月に発行された雑誌『コメディア』に、「エコール・ド・パリは存在する」を掲載し、後には異邦人の画家たちにまつわる書籍を刊行するなど、その魅力を広く伝えていった。はじめ蔑称として生まれた「エコール・ド・パリ」という言葉は、第二次世界大戦後に美術の中心地となったニューヨークに対抗するために、国際的で自由な芸術を受け入れるパリの気風を示すものとして、意味を変えながら広まっていった。　　　　　　　（S.Y.）

主要参考文献:
L'Ecole de paris 1904-1929 [Exh. Cat.], Paris: Musée d'Art Moderne Ville Paris, Paris musées, 2000
『異邦人たちのパリ1900−2005 ポンピドー・センター所蔵作品展』（展覧会カタログ）、東京:国立新美術館、2007年

2-53
アメデオ・モディリアーニ
ルネ
ポーラ美術館
Amedeo Modigliani
Renée
Pola Museum of Art
1917

イタリアのリヴォルノで生まれたモディリアーニは、1906年にパリに移住し、1909年からブランクーシの勧めで彫刻制作を行いながら、身近な人物を絵画作品に描き出した。《ルネ》は、友人の画家キスリングの妻をモデルにしたとされ、切りそろえた前髪に短いボブヘア、ネクタイにジャケットという男性用服を着ている。「ギャルソンヌ」と呼ばれるこうした装いは、第一次世界大戦による女性の社会進出によって、1910年代後半に流行した。　（S.Y.）

左｜Left　2-56
キスリング
ファルコネッティ嬢
ポーラ美術館
Kisling
Mlle Falconetti
Pola Museum of Art
1927

右上｜Upper Right　2-54
キース・ヴァン・ドンゲン
アンヴァリッドへの道
ポーラ美術館
Kees van Dongen
Road to the Invalide
Pola Museum of Art
1922

右下｜Lower Right　2-55
キース・ヴァン・ドンゲン
ドーヴィルのノルマンディー・ホテル
ポーラ美術館
Kees van Dongen
The Normandy Hotel at Deauville
Pola Museum of Art
1925

コルビュジエの1925年
ヴォワザン計画とエスプリ・ヌーヴォー館

1917年にスイスからパリに移住したシャルル＝エドゥアール・ジャンヌレ（1887-1965）は、画家アメデ・オザンファン（1886-1966）と出会い、「工業と機械と科学の精神」を称揚する第一次世界大戦後の新しい芸術の在り方を探究すべく「ピュリスム」として活動を初める。1920年には雑誌『エスプリ・ヌーヴォー』（新精神）を創刊する。彼らは機械そのものの美しさではなく、合理的な機構の秩序、そして科学や幾何学がもたらす調和に、古代建築とも通じる普遍的な法則性を持っていると考えた。ジャンヌレはこの頃から「ル・コルビュジエ」を名乗り、合理性と機能主義にもとづいた幾何学的な建築や都市計画を手掛け、誌面や書籍で発表する（Fig. 1-3）。1922年には、直交する幹線道路を中心に、十字型の摩天楼が等間隔に建ち並び、業務区域と住居区域を計画的に区分けした都市計画「300万人の現代都市」を発表した。

「住宅は住むための機械である」とル・コルビュジエが述べるように、ピュリスムの理念は装飾芸術を否定するものであった。しかし、彼らは新しい時代の建築や都市の在り方を提示するために、あえて装飾芸術のための博覧会であるアール・デコ博に「エスプリ・ヌーヴォー館」（Fig. 5）を出展した。ピュリスムの理念を体現するこのパヴィリオンは、立方体と円を組み合わせた幾何学的な外観に、内装も、「魂の不朽の表現」たる絵画を除いて、壁紙や調度品などの装飾を徹底的に排除し、彼らが目指す「規格化された大量生産品」のような幾何学的な棚を配した建物であった（Fig. 7）。このパヴィリオンの中で、ル・コルビュジエは、「300万人の現代都市」をパリに適応してパリの右岸を大規模に再開発する都市計画「ヴォワザン計画」を発表した（Fig. 6）。この計画とパヴィリオンの建設を援助した自動車会社のヴォワザン社は、はじめ航空機を製造していたが、第一次世界大戦後に自動車産業に進出した。ルネ・ヴァンサンによる《ポスター「ヴォワザン」》（Cat. no. 2-49）に見るように、上流階級に向けて販売していたが、『エスプリ・ヌーヴォー』には、「エスプリ・ヌーヴォー館」に設置されていたリプシッツの彫刻を思わせる人物が自動車を掲げる広告（Fig. 4）を掲出している。　　　　　　　　　　　　　　　　　　　（S.Y.）

Fig. 1　Fig. 2

Fig. 3　Fig. 4

Fig. 1　ル・コルビュジエ＝ソーニエ『建築をめざして』1923年、パリ、クレス出版、大成建設株式会社
Fig. 2　ル・コルビュジエ『今日の装飾芸術』1925年、パリ、クレス出版、国立西洋美術館
Fig. 3　ル・コルビュジエ『ユルバニスム』1925年、パリ、クレス出版、大成建設株式会社
Fig. 4　「ヴォワザン社の広告」『エスプリ・ヌーヴォー』誌 no.19, 1923年

2-49　ルネ・ヴァンサン
ポスター「ヴォワザン」　トヨタ博物館
René Vincent Poster "La voisin"
Toyota Automobile Museum
ca. 1925

〒604-8790

025

〈受取人〉
京都市中京区梅忠町9-1

株式会社 青幻舎 行

お名前（フリガナ）	性別	年齢
	男・女・回答しない	歳

ご住所　〒

E-mail	ご職業

青幻舎からの
新刊・イベント情報を
希望しますか？

□する　□しない

読者アンケートは、弊社HPでも
承っております。

最新情報・すべての刊行書籍は、
弊社HPでご覧いただけます。

青幻舎　　　　検索

https://www.seigensha.com
読者アンケート

お買い上げの書名	ご購入書店

本書をご購入いただいたきっかけをお聞かせください。

☐ 著者のファン　☐ 店頭で見て
☐ 書評や紹介記事を見て（媒体名　　　　　　　　　　　　　）
☐ 広告を見て（媒体名　　　　　　　　　　　　）
☐ 弊社からの案内を見て（HP・メルマガ・Twitter・Instagram・Facebook）
☐ その他（　　　　　　　　　　　　　　　）

本書についてのご感想、関心をお持ちのテーマや注目の作家、弊社へのご意見・ご要望が
ございましたらお聞かせください。

お客様のご感想をHPや広告など本のPRに、匿名で活用させていただいてもよろしいでしょうか
☐はい　☐いい

ご協力ありがとうございました

**アンケートにご協力いただいた方の中から毎月抽選で5名様に景品を差し上げます。当選者の
発表は景品の発送をもってかえさせていただきます。**
詳細はこちら https://www.seigensha.com/campaign

Fig. 5 「エスプリ・ヌーヴォー館」外観
Fig. 6 ル・コルビュジエによるパリの再開発計画「ヴォワザン計画」模型、エスプリ・ヌーヴォー館、1925年

Fig. 7 「エスプリ・ヌーヴォー館」内観(モーリス・グラヴォ撮影)、1925年

19世紀初頭にドイツで創業したトーネット社は1857年に木材の強度を損なわず、効率よく曲線を成型する「曲木」の技術を開発し、椅子の大量生産を実現した。ル・コルビュジエは量産可能でありながら機能を損なうことのない家具として、エスプリ・ヌーヴォー館の家具など自身の設計した空間にトーネット社による曲木の椅子を好んで使用している。そして、1927年には、さらなる建築との一体感を目指して、アトリエにシャルロット・ペリアン(1903-1999)を迎え、金属パイプを用いた椅子をデザインした。金属パイプは、マルセル・ブロイヤー(1902-1981)やミース・ファンデル・ローエ(1886-1969)などバウハウスで既に椅子の素材として採り入れられていたが、幾何学的な建築に合わせて、また座る者の姿勢に合わせて上下に動く(バスキュラント)構造を持つ《バスキュラントチェアNo. LC1》(Cat. no. 2-51)や、曲線部分が自由に動く《シェーズロングNo. LC4》(Cat. no. 2-52)など、心地よく座るための機能性を追求している。　　　　　　　　　　(S.Y.)

2-50
ゲブリューダ・トーネット
ウィーンチェア（No.209）
武蔵野美術大学 美術館・図書館
Gebrüder Thonet
Vienna Chair (No.209)
Musashino Art University Museum & Library
1970[1870]

Fig. 8 「チャーチ邸」内観(ジョルジュ・シレ撮影)1927-1930年

CHAPTER 3

第3章
役に立たない機械:
ダダとシュルレアリスム
Meaningless Machines:
Dada and Surrealism

機械時代の急速な発展と近代化は、チューリヒやケルン、ニューヨーク、そしてパリなど欧米の諸都市で、それに反発する芸術運動を生んだ。第一次世界大戦の戦禍を逃れて中立国であるスイスのチューリヒに亡命していた芸術家たちの間で、1916年頃には既存の価値観や芸術の制度を否定しようとする機運が高まり、詩人トリスタン・ツァラが偶然に見出した単語によって「ダダ」と名付けられた。しかし諸都市で巻き起こった反芸術的な傾向はそれぞれに異なり、ケルンで活動していたマックス・エルンストは、出版物からイメージを切り抜いて再構成することで、思いもよらない違和感（デペイズマン）を生じさせる手法「コラージュ」を用いて作品を制作した。ニューヨークでは、フランスからアメリカに亡命していたマルセル・デュシャンと写真家マン・レイが出会い、既製品（レディ・メイド）を用いた作品によって従来の美的価値にとらわれない新しい作品を制作している。

　パリにおけるダダの運動を主導したアンドレ・ブルトンは、精神分析学者ジグムント・フロイトの理論に影響を受け、意識下に眠る「無意識」に注目し、反美学的な運動に新たな展開をもたらした。彼は偶然性によって無意識を表出させる「オートマティスム」という独自の概念を見出し、1924年には理性ではたどり着けない「超現実」を求める「シュルレアリスム宣言」を発表して新たな芸術運動を創始する。さらに1925年には機関誌『シュルレアリスム革命』に「シュルレアリスムと絵画」を発表し、視覚芸術における探究を本格的に始める。この活動に、エルンストやマン・レイも参加し、シュルレアリスムは1920年代後半には大きな芸術運動となっていった。その活動は社会変革にも及び、1931年には、植民地博覧会への反対運動を展開し、非西洋圏の文化や人々を見世物にして偏見を助長するフランスの植民地主義や白人中心主義を批判している。彼らの活動の中でも、日用品や蚤の市で発見した品々を組み合わせた「オブジェ」は、シュルレアリスムにおける重要な概念であった。造形性を追究する伝統的な彫刻とは異なり、オブジェは既に存在しているモノから機能を抜き取り、他のモノと組み合わせることで作者の内的なモデルを投影し、別の意味に置き換えていく。特にマン・レイは写真作品だけではなく、タイトルを含めた言葉遊びのように、複数のイメージやモノを組み合わせて詩的なオブジェを制作している。第一次世界大戦以降の機械時代にあって、ダダとシュルレアリスムのオブジェは機能を抜き取った「役に立たない機械」ということができるだろう。

　また、シュルレアリスムの作家は身体をも断片化して本来の機能から引き離すことで、オブジェのように作家が独自の意味を与えられるように変形させていった。シュルレアリスムに影響を与えたジョルジョ・デ・キリコは、幾何学的な形の集積である無機的でマネキンのような人物像を描き、サルバドール・ダリはダブル・イメージという妄想の中で変形させ多重な意味を織り込んだ女性像を描いている。人形を組み合わせたハンス・ベルメールの写真作品が呼び起こすグロテスクな感覚は、我々の身体がモノと化した機械時代のおぞましさに起因するのかもしれない。

（S.Y.）

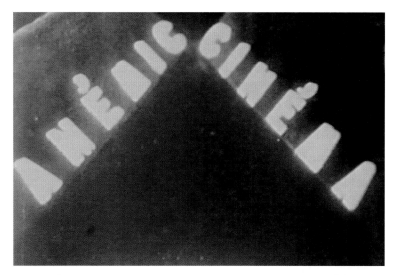

マルセル・デュシャン（1887-1968）が監督し、マン・レイ（本
名エマニュエル・ラドニツキー、1890-1976）とマルク・アレグレ
（1900-1973）が協力して制作した映像作品。回転する螺旋
図と螺旋状に並んだ詩文が交互に映し出される。当時デュシャ
ンは錯視などの視覚現象や光学的な装置に関心を抱いており、
本作品も円盤を少しずつ動かした写真をつなぎ合わせて2週間
かけて撮影された。反復される回転運動は機械の歯車のようで
ありながら、あたかもエロティックな動作を思わせる。　　（S.Y.）

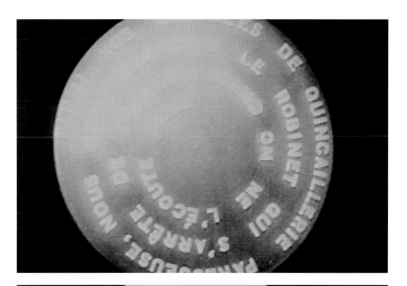

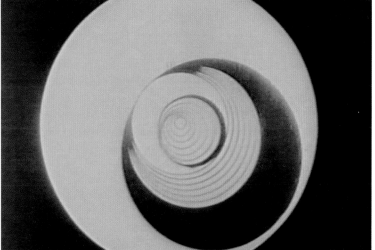

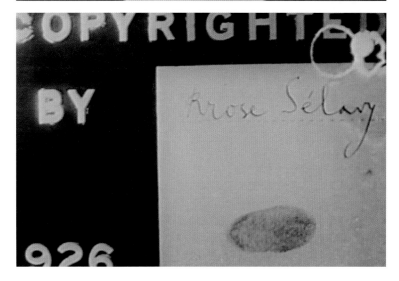

3-01
マルセル・デュシャン監督、マン・レイ撮影
映画「アネミック・シネマ（貧血症の映画）」
東京富士美術館

Marcel Duchamp (Director),
Man Ray (Cinematographer)
Anémic Cinéma
Tokyo Fuji Art Museum
1925 (Screening: 1926)

1923年にマン・レイは助手を勤めていたリー・ミラー（1907-1977）に失恋し、失意の中で彼女の顔写真から目の部分を楕円に切り取り、メトロノームの振り子に取り付けた立体作品《破壊されるべきオブジェ》を制作した。マン・レイはこの振り子を鳴らし続けた末に破壊することを見込んで制作したという。精神的な苦痛と彼女への執着をオブジェ化することによって鎮静させようとしたのか、翌年には同じくメトロノームを用いた作品を手掛けている。1957年にパリで開催したダダの回顧展に同シリーズを展示した際、彼らに批判的な若者たちによって奪い去られてしまう。本作品はこの事件を受けて「破壊されないオブジェ」というタイトルで再制作されたものの1点である。　　　　　　　　（S.Y.）

3-02
マン・レイ
破壊されないオブジェ
東京富士美術館
Man Ray
Indestructible Object
Tokyo Fuji Art Museum
1923［1975］

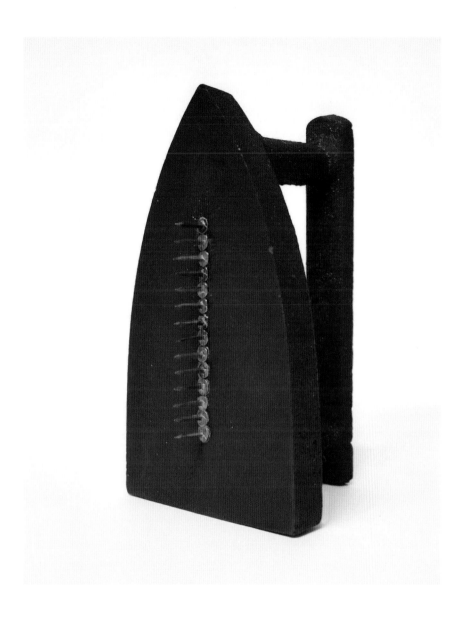

3-03
マン・レイ
贈り物
水戸野孝宣蔵
Man Ray
Gift
Collection of Mitono Takanobu
1921[1974]

1921年にパリで開催した個展で、マン・レイは作曲家エリック・
サティ（1866-1925）と出会い、彼に通訳を依頼して日用品
店でアイロンと鋲を購入し、アイロンの底面に鋲を貼り付けた
作品を翌日から展示に加えた。布の皺をのばすというアイロン
の機能を奪い、オブジェと化した作品である。しかしこの作品は
「贈り物」と題されたせいか、展示した日の午後には来訪者に
よって持ち去られてしまった。　　　　　　　　　　（S.Y.）

「シュルレアリスム国際展」を開催した1936年に、ブルトンは「オブジェの危機」と題したテキストを発表し、その誌面にマン・レイは複雑な数式を立体で表現した「数理モデル」の写真を加えている。数理モデルはいわば数学という理性の結晶体だが、白い石膏によって形作られた模型は、植物や自然物を思わせる有機的な曲線にあふれている。　　　　　　　　　　　　　　（S.Y.）

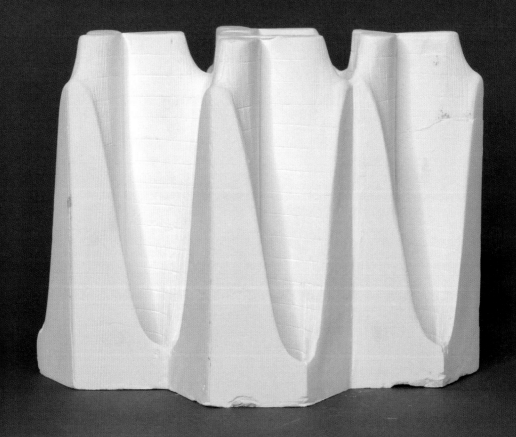

3-04
数理モデル「楕円関数」
東京大学総合研究博物館
Mathematical Model "Elliptic Function"
The University Museum, the University of Tokyo

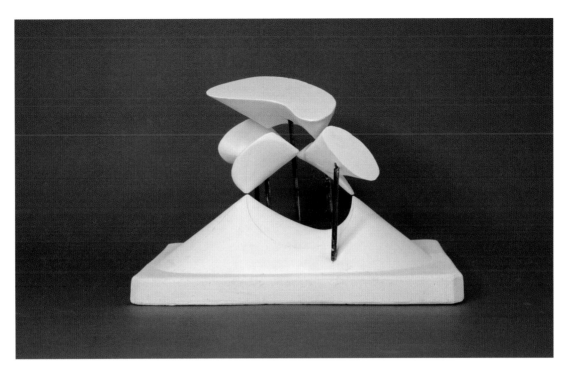

3-05
数理モデル「クンマー曲面」
東京大学総合研究博物館
Mathematical Model "Kummer Surface with 8 Real Double Points"
The University Museum, the University of Tokyo

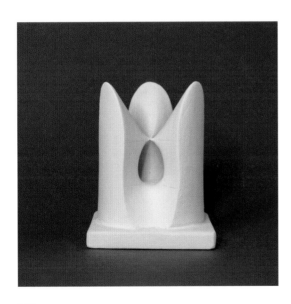

3-06
数理モデル「三次曲面」
東京大学総合研究博物館
Mathematical Model "Cubic with an A1 Double Point"
The University Museum, the University of Tokyo

3-07
数理モデル「クエン曲面」
東京大学総合研究博物館
Mathematical Model "Kuen Surface"
The University Museum, the University of Tokyo

シュルレアリスムの1925年

1918年、当時医学生であったアンドレ・ブルトンは、医療助手として戦争で心に傷を負った患者に触れて、近代的な合理主義に疑問を抱き始める。戦後、詩人としての活動を始め、大戦中にチューリヒで隆盛していたダダに関心を抱いてトリスタン・ツァラと交流した。既存の価値観や合理性を批判するダダの動きは、当時ドイツやアメリカなど近代国家の都市部で同時多発的に起こり、ブルトンはパリ・ダダの中心人物となる。しかし彼の主要な関心は、ドイツの精神分析家ジグムント・フロイト(1856-1939)により提唱された人間の「無意識」の領域にあった。スイスから呼び寄せたツァラとやがて対立し、1919年には「オートマティスム」(自動筆記)と呼ぶ手法によって、理性の及ばない無意識の領野を文学作品として引き出すことを試み始めた。1924年にオートマティスムによって制作したテキスト「溶ける魚」の注釈として執筆した文章を改訂し『シュルレアリスム宣言』(Fig. 1)を刊行し、ポール・エリュアール(1895-1952)やフィリップ・スーポー(1897-1990)とともにグループとしての活動をスタートする。

　1920年代にシュルレアリスムに参加したメンバーの多くは第一次世界大戦を経験した者たちであった。近代性の礎をなす理性主義を否定すべく、ブルトンとともに理性では到達できないより強度な現実「シュルレアル」(超現実)を求めた。グループの中で、絵画におけるシュルレアリスムは成立するか否かという議論は、グループの中で意見が対立する論点であった。1921年からマックス・エルンスト(1891-1976)と交流するなど、活動の初期から視覚芸術における可能性を信じていたブルトンは、1925年には機関誌『シュルレアリスム革命』において、「シュルレアリスムと絵画」と題したテキストを発表する。これはシュルレアリスムの絵画という様式を示すものではなく、幾人かの同時代作家の中にシュルレアルを見出すという、いわば「絵画におけるシュルレアリスム性」を論じたものであった。同年パリのピエール画廊で「第1回シュルレアリスム展」を開催し、ジョルジョ・デ・キリコ(1888-1978)やエルンスト、マン・レイらの作品を展示する。さらに1928年にはスペインからパリへと移り住んだ画家サルバドール・ダリ(1904-1989)が加わり、シュルレアリスムは視覚芸術の分野でも活動を拡大していった。　　　　　　　　　　　　　　　　　　　　　　　　　(S.Y.)

D-3-01　アンドレ・ブルトン『シュルレアリスム宣言・溶ける魚』発行：サジテール、シモン・クラ、パリ、水戸野孝宣蔵

André Breton, *Le Manifeste du surréalisme, Poisson soluble*, Published by Sagittaire, Simon Kra, Paris, 1924, Colloection of Mitono Takanobu

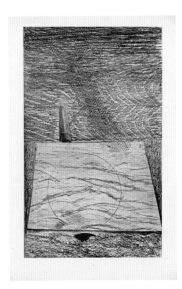

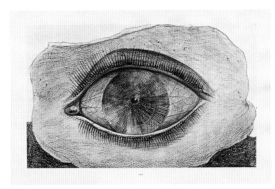

3-13
マックス・エルンスト
『博物誌』
ポーラ美術館
Max Ernst
Histoire naturelle
Pola Museum of Art
1926

1919年以降、エルンストは図鑑や古い雑誌を眺めながら得た妄想をもとに、鋏と糊を使って切り貼りする「コラージュ」を用いて作品を制作した。実験の末に生み出された人造人間を主人公とした『百頭女』(Cat. no. 3-14)や7つの物語を1週間に当てはめた『慈善週間、または七大元素』(Cat. no. 3-15)といったテキストと挿絵による出版物として刊行した。1921年にパリで個展を開催した際、ブルトンと活動をともにしていた詩人ポール・エリュアールは、エルンストの作品にオートマティスムとの共通点を見出しパリに誘い、それ以降、エルンストはシュルレアリスムのメンバーとして活動する。1925年には紙の下に木片や木の葉を置いて鉛筆などでこすり出す「フロッタージュ」を試みて、偶然によるイメージをもとに天地創造から人類最初の女性イヴの登場に至る壮大な物語『博物誌』(Cat. no. 3-13)を生み出している。
(S.Y.)

XXIV

MAX ERNST

LES MALHEURS DES IMMORTELS

révélés par

PAUL ELUARD et MAX ERNST

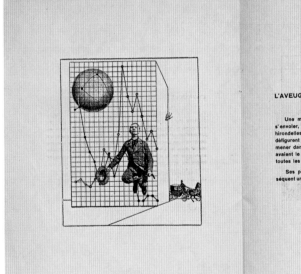

L'AVEUGLE PREDESTINE TOURNE LE DOS AUX PASSANTS

Une mouche sur sa main. Le soleil, pour l'empêcher de s'envoler, plante des aiguilles autour d'elle. Le soleil attire les hirondelles atteintes de ces affreuses maladies de peau qui défigurent les jours d'orage. Elles sortent de l'eau pour se promener dans les champs. La rivière n'est pas encombrée et elles avaient le temps d'arriver. Mais il faut qu'elles aillent chercher toutes les croix oubliées.

Ses pieds exhalent le parfum des lézards. Il fera par conséquent un mariage avantageux, un mariage de bonnes intentions.

11

左｜Left　3-13
マックス・エルンスト
『博物誌』
ポーラ美術館
Max Ernst
Histoire naturelle
Pola Museum of Art
1926

右｜Right　3-12
マックス・エルンスト画、ポール・エリュアール著
『不滅者の不幸』
ポーラ美術館
Max Ernst(ill.), Paul Eluard(Text)
Les malheurs des immortels
Pola Museum of Art
1922

3-15
マックス・エルンスト
『慈善週間、または七大元素』
ポーラ美術館
Max Ernst
Une semaine de bonté ou les sept éléments capitaux
Pola Museum of Art
1934

124

A plus tendre jeunesse, extrême onction.

Crime ou miracle : un homme complet.

Loplop, l'hirondelle, passe.

3-14
マックス・エルンスト
『百頭女』
ポーラ美術館
Max Ernst
La femme 100 têtes
Pola Museum of Art
1929

3-16
ジョルジョ・デ・キリコ
ヘクトールとアンドロマケー
ポーラ美術館
Giorgio de Chirico
Hector and Andromache
Pola Museum of Art
ca.1930

1913年から1919年にかけてデ・キリコは、遠近法を強調した
奥行のある空間に古代建築やマネキンのような人物を配置する
「形而上絵画」を制作し始めた。目に見える無機的なものの背
後にある神秘性に目を向けるという彼の先駆的な表現は、後の
シュルレアリスムに影響を与え、ダリやルネ・マグリット（1898-
1967）など多くの画家たちに受け継がれた。ヘクトールとアンド
ロマケーとはトロイア戦争を舞台にしたホメロスの叙事詩『イリア
ス』に登場する夫婦である。描かれているのは謎めいた部品のよ
うな物体の集積だが、その奥には戦地に赴く夫を見送る妻の不
安と緊張が垣間見える。　　　　　　　　　　　　　　（S.Y.）

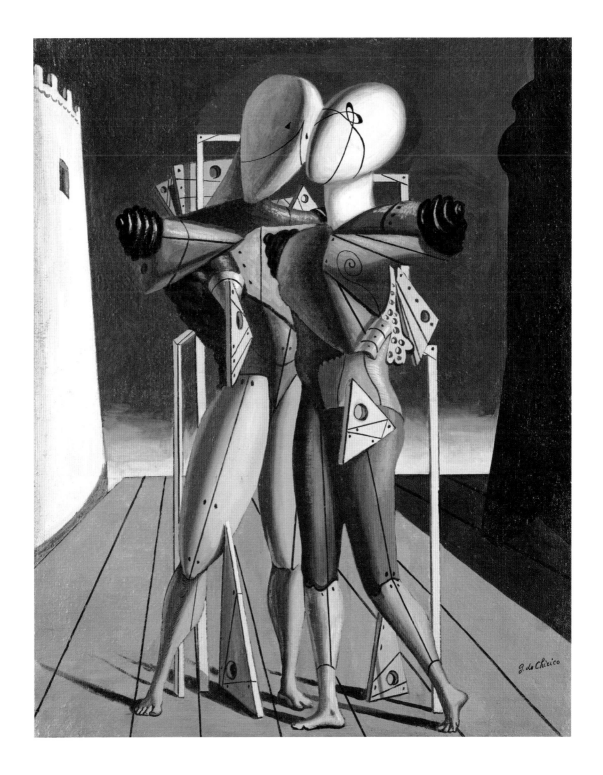

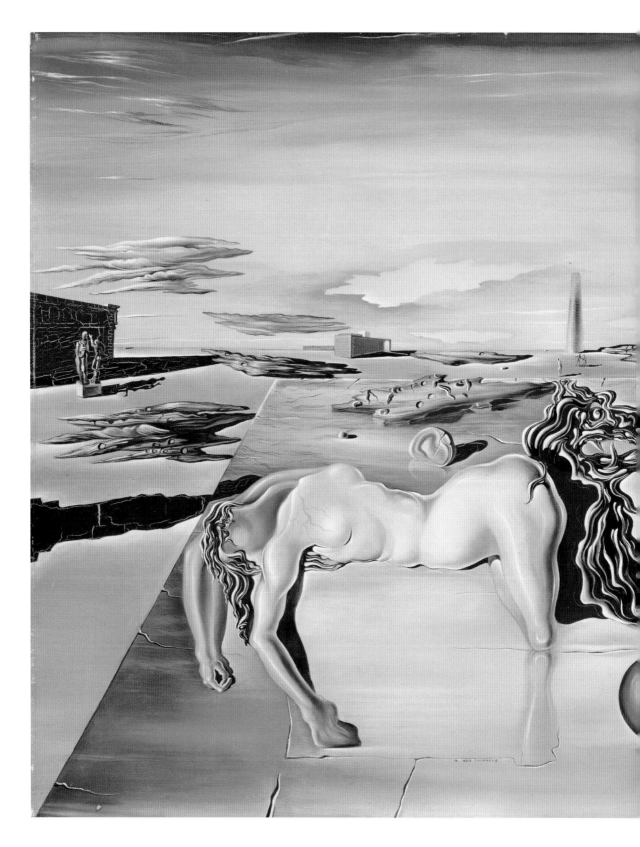

3-17
サルバドール・ダリ
姿の見えない眠る人、馬、獅子
ポーラ美術館
Salvador Dali
Invisible Sleeper, Horse, and Lion
Pola Museum of Art
1930

3-18
ルネ・マグリット
生命線
ポーラ美術館
René Magritte
The Line of Life
Pola Museum of Art
1936

3-19
ルネ・マグリット
水滴
ポーラ美術館
René Magritte
The Drop of Water
Pola Museum of Art
1948

3-20
ポール・デルヴォー
ヴィーナスの誕生
ポーラ美術館
Paul Delvaux
The Birth of Venus
Pola Museum of Art
1937

3-21
ポール・デルヴォー
トンゲレンの娘たち
ポーラ美術館
Paul Delvaux
The Young Ladies of Tongeren
Pola Museum of Art
1962

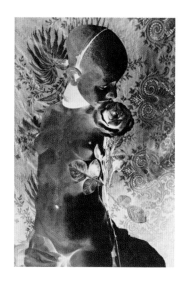

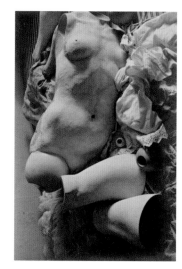

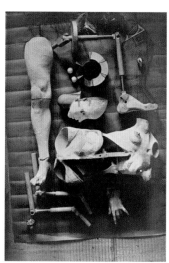

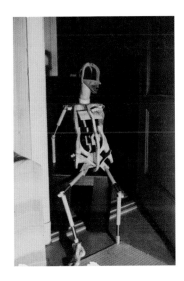

3-22
ハンス・ベルメール
『人形』
個人蔵
Hans Bellmer
La poupée
Private Collection
1936

MITSUKOSHI　　Tokyo, Japan

第4章
モダン都市東京：
アール・デコと機械美の受容と展開
Modern Japan: Reception and Application of
Art Deco and Machine Aesthetics

ヨーロッパやアメリカにおいて機械が新時代の象徴として讃美され、アール・デコ様式が全盛を誇った1920年代から30年代にかけて、多くの日本人がフランスやドイツへと渡った。現地で吸収した最新のデザインや芸術理論を持ち帰った作家たちの活躍により、大正末期から昭和初期にかけて日本国内でもモダンなデザインや前衛的な芸術表現が次々と開花していく。

　1925年（大正14）のアール・デコ博を実際に訪れた日本人は少なくなく、この装飾様式に魅せられたフランス滞在中の朝香宮夫妻は、日本における貴重なアール・デコ様式の邸宅を建てている（Fig. 1, 2）。同じくアール・デコ博を見学した金工作家の津田信夫は、帰国後に海外の最新動向を若い工芸作家たちに伝え、幾何学的な造形表現を特徴とする工芸団体「无型」の結成に至った（Fig. 3）。遠く日本へと伝わったアール・デコは、芸術家たちに機能と装飾、美術と工芸、商業美術とデザインなどの関係性について深く考察することを促したのである。

　1923年（大正12）の関東大震災や、1926年（大正15）末の大正天皇崩御という多難の時代を経て、日本では1928年（昭和3）頃より東京や大阪を中心に急速な近代化が推し進められていく。コンクリートの建物や鉄橋、デパート、地下鉄といった都市機能が次々と整えられていく東京の姿を、アール・デコから影響を受けた明るい色彩と大胆な構図を駆使して体現したのが、日本のモダンデザインのパイオニア、杉浦非水である。すでに三越のデザイナーとして名を馳せていた非水だが、1922年（大正11）に念願のヨーロッパ遊学へと旅立ち、アール・デコが盛り上がりをみせるフランスを中心にドイツやベルギーにも滞在した。帰国後は、それまでの繊細優美なスタイルから一転し、明快で力強いデザインで百貨店の雑誌や地下鉄のポスターを手掛けるなど、新たな都市文化を象徴するデザイナーとして活躍するとともに、その後の日本の広告美術やタイポグラフィの発展に大きく寄与した。

　非水による明るい気風に満ちたデザインが都市に華やぎを添える一方で、レジェに影響を受けた古賀春江や、最新の科学や機械美に魅せられた中原實、河辺昌久といった異色の前衛芸術家らが活躍したのもこの時代である。機械文明がもたらした印刷や写真といった新興の大量複製メディアが脚光を浴び、美術史家の板垣鷹穂が機械美学や機械と芸術との関係性について盛んに論じたことで、瑛九のように印刷物の切り抜きを積極的に利用しシュルレアリスム的なコラージュ作品を生み出す者も出てきた。古賀や河辺による、生身の人間と機械やロボットが混在する絵画世界には、新しい時代の高揚感だけでなく、その後の不況や社会不安を暗示するような不穏な空気を感じとることができよう。

（Y.N.）

Fig. 1　朝香宮邸竣工写真　正面外観 1933年（昭和8）東京都庭園美術館

Fig. 2　朝香宮邸竣工写真　次室香水塔 1933年（昭和8）東京都庭園美術館

Fig. 3　内藤春治《壁面への時計》1927年（昭和2）国立工芸館

Fig. 1

Fig. 2

Fig. 3

4-01
杉浦非水
ポスター「東洋唯一の地下鉄道 上野浅草間開通」
発行:東京地下鉄道株式会社
愛媛県美術館
Sugiura Hisui
Poster "Asia's First Subway Bigins Operation Between Ueno and Asakusa"
Published by Tokyo Underground Railway Company
The Museum of Art, Ehime
1927

近代日本のグラフィックデザイン史上の名作として知られるこの
ポスターは、1927年（昭和2）12月30日にアジアで初めての地
下鉄道が東京に開通することを知らせるものであった。奥行きを
強調した大胆な構図の中で、主役となるのは今まさにホームへ入
ろうとする車両を心待ちにする人々である。和装と洋装の大人や
子どもが入り混じる中、手前にはひときわ華やかなコートや帽子で
着飾ったモボ・モガを配し、モダン都市東京の賑わいと高揚感を
描き出している。　　　　　　　　　　　　　　　　（Y.N.）

左｜Left　4-04
杉浦非水
ポスター「上野地下鉄ストア」
発行：東京地下鉄道株式会社
愛媛県美術館
Sugiura Hisui
Poster "Ueno Subway Store"
Published by Tokyo Underground
Railway Company
The Museum of Art, Ehime
1931

右｜Right　4-03
杉浦非水
ポスター「新宿三越落成 十月十日開店」
発行：三越
愛媛県美術館
Sugiura Hisui
**Poster "Shinjuku Mitsukoshi Completed,
opens October 10"**
Published by Mitsukoshi
The Museum of Art, Ehime
1930

1904年（明治37）、三井呉服店は「デパートメントストア宣言」のもと株式会社三越呉服店として生まれ変わり、日本における近代的百貨店の歴史がスタートした。1923年（大正12）の関東大震災で日本橋本店と丸の内別館は全焼の被害を受けるが、すぐに東京市内8ヵ所に三越マーケットを開設。そのひとつであった新宿分店は1930年（昭和5）に新築移転し、非水はその開店を告知するポスターを手掛けた（Cat. no. 4-03）。地上8階、地下3階建ての鉄筋コンクリートのビルを高い視点から見下ろす構図で、夜の街の中で煌々と輝く新宿三越、目の前の新宿通りを行き交う車やバス、ひしめき合う群衆を、光と影の効果を用いてドラマティックに表現している。

　翌年、上野駅前には、建物の正面に巨大な電飾時計を配した上野地下鉄ストアが開店しており、非水はここでも夜のシーンを選び、星々が散りばめられた美しい夜空を背景にそびえたつビルを描いた（Cat. no. 4-04）。新宿三越とは対照的に下から仰ぎ見るような構図で、夜空の空間を効果的に用いて店名や宣伝文句を巧みにレイアウトしている。　　　　　　（Y.N.）

4-05　杉浦非水　ポスター「萬世橋まで延長開通」
発行:東京地下鉄道株式会社 愛媛県美術館
Sugiura Hisui　Poster "Service Extended to Mansei-bashi"
Published by Tokyo Underground Railway Company　The Museum of Art, Ehime
1930

1645年(正保2)に初代濱口儀兵衛が千葉県の銚子で創業し
たヤマサ醤油は、1893年(明治26)に家業を継いだ十代濱口
儀兵衛のもとで近代化を推し進め、日本を代表する醤油製造会
社として飛躍的な成長を遂げる。工場や設備の新設・機械化を
実現して生産高を大幅に拡大するだけでなく、非水のデザインに
よる斬新な広告を打ち出していった。本作品(Cat. no. 4-06)
は、高層ビルが立ち並び路面電車や車が行き交う大都市の中に、
ヤマサ醤油の巨大な瓶が鎮座するというユニークなポスターであ
る。銀座辺りの風景にも見えるが、おそらくは架空の都市を構想
して描いたと考えられる。非水が手掛けたヤマサ醤油のポスター
は、明るい色彩の丸や三角といった幾何学的な形体とともに醤
油瓶を配置するという、アール・デコ風のシンプルなデザインが多
い中、本作品では珍しく瓶の立体感を重視した写実的な描写が
際立っている。近代都市の発展と足並みを揃えるように急成長し
ていくヤマサ醤油の存在感が表現されている。　　　　　(Y.N.)

4-06　杉浦非水
ポスター「ヤマサ醤油」
発行:濱口儀兵衛商店　個人蔵
Sugiura Hisui　Poster "Yamasa Soy Source"
Published by Hamaguchi Gihei Store
Private Collection
1920s (Late Taisho era)

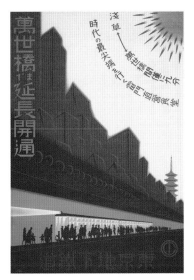

4-07

4-08

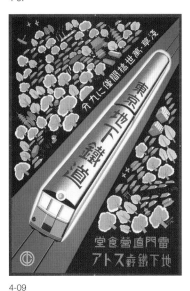

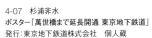

4-09

4-10

4-07　杉浦非水
ポスター「萬世橋まで延長開通 東京地下鉄道」
発行:東京地下鉄道株式会社　個人蔵
Sugiura Hisui　Poster "Service Extended to Man-
sei-bashi, Tokyo Subway"
Published by Tokyo Underground Railway Company
Private Collection
ca.1929

4-08　杉浦非水
ポスター「帝都復興と東京地下鉄道」
発行:東京地下鉄道株式会社　個人蔵
Sugiura Hisui　Poster "The Reconstruction of the
Imperial Capital and Tokyo Subway"
Published by Tokyo Underground Railway Company
Private Collection
1930

4-09　杉浦非水
ポスター「東京地下鉄道 雷門直営食堂 地下鉄上野スト
ア」(校正刷)
発行:東京地下鉄道株式会社　個人蔵
Sugiura Hisui　Poster "Tokyo Subway; Ueno Sub-
way Store" (Proof print)
Published by Tokyo Underground Railway Company
Private Collection
ca.1930

4-10　杉浦非水
ポスター「東京地下鉄道 萬世橋神田駅延長開通」(校正刷)
発行:東京地下鉄道株式会社　個人蔵
Sugiura Hisui　Poster "Tokyo Subway; Service Extend-
ed from Mansei-bashi to Kanda-station" (Proof print)
Published by Tokyo Underground Railway Company
Private Collection
ca.1931

杉浦非水とアール・デコ

アール・デコが全盛を迎えようとするヨーロッパへ1922年（大正11）11月に旅立った46歳の杉浦非水は、翌年1月にパリに到着した。同年9月1日に起きた関東大震災の報を受け、やむなく滞在予定を大幅に縮小し約1年で帰国することになるが、現地で目にした広告美術はその後の非水の作風にどのような影響を具体的に与えたのだろうか。

Fig. 1

まだ駆け出しの図案家であった30代前半の非水は、広告戦略を重視していた三越呉服店に抜擢され、明治末期から三越のポスターやPR誌『みつこしタイムス』、パッケージなどのデザインを一手に引き受けることとなった。代表作である《ポスター「三越呉服店 春の新柄陳列会」》（Fig. 1）は、非水が初めて本格的に手掛けたポスターである。三越のPR誌を手にして椅子に腰かける女性は、大きな蝶の意匠の着物をまとい洋風のインテリアに囲まれた姿で、最先端のモダンな生活の享受者として描かれている。非水の出世作であり、当時主流であった写実的な人物表現が抑えられ、洗練された装飾的効果を生み出しているが、蝶や植物の有機的な装飾文様、細部に至る描き込みや優美な人物描写、穏やかな調子でまとめられた色彩表現からは、まだ非水がアール・ヌーヴォーの影響から完全には脱していないことがみてとれる。

Fig. 2

パリを中心として、フランスで遊学生活の大半を過ごした非水は、名所旧跡を巡りスケッチや写真撮影などに勤しんでいたが、ヨーロッパのポスター見学・収集にも非常に力を入れ、最終的に約300種のポスターを収集したとされる[註]。古書店や画商から購入するだけでなく、フランスの主要な駅を巡り、特に鉄道ポスターを熱心に集めたことが日記から分かっており、その数は約150点に及ぶ。中にはアール・デコを代表するポスター画家であるA.M. カッサンドルの手掛けた《時刻表》（Fig. 2）も2点含まれており、カッサンドルの《ポスター「エトワール・デュ・ノール（北極星号）」》（Cat. no. 2-13）と《ポスター「ノール・エクスプレス」》がそれぞれ印刷されている。幾何学的形体を多用したシンプルでインパクトのある構図、少ない色数ながらもコントラストによって際立つ色彩効果、列車の広告に車体をあえて登場させない、あるいは車輪などの部分的な要素のみを描くといった、当時最先端の広告美術のテクニックを、非水はしっかりと吸収・咀嚼したと考えられる。

帰国後の非水が手掛けたポスターや雑誌には、こうしたアール・デコ期のポスターの特徴が至るところに散見される。《ポスター「東洋唯一の地下鉄道 上野浅草間開通」》（Cat. no. 4-01）における極端なパースペクティブや、地下鉄本体ではなくそれを待ち望む群衆を主役として描く点、三越や上野地下鉄ストア（Cat. nos. 4-03、4-04）の高層ビルにみられる色数を抑えた光と影のコントラスト、雑誌『三越』や『大阪の三越』の表紙デザイン（Cat. nos. 4-11〜4-21）における大胆な余白や補色の活用、人物や風景を幾何学的な形へと単純化して描き出す点などが挙げられよう。帰国後、絵画とは異なる「ポスター」というメディアの特徴やあるべき姿勢について、非水は盛んに論じている。ヨーロッパのポスターの単なる真似ではなく、日本独自のポスター文化を作り上げる必要性を説いた非水にとって、1920年代のカッサンドルをはじめとするアール・デコ期のポスター群との出あいは、日本における広告美術の未来を考える上で大きな転機となる出来事だったと言えよう。　　　　　　　　（Y.N.）

註）ヨーロッパ滞在における非水のポスターの収集時期や方法、種類、帰国後の非水のデザインに対する影響関係などについては、以下の論考に詳しい。前村文博「杉浦非水のポスターデザイン—1920年代を中心に—」『鹿島美術研究（年報第24号別冊）』鹿島美術財団、2007年、42-54頁。同「杉浦非水とヨーロッパのポスター」『生誕140年 杉浦非水：開花するモダンデザイン』（展覧会カタログ）愛媛県美術館、2017年、116-118頁。

上｜Top　4-11
杉浦非水
『三越』第17巻第7号
表紙
発行：三越呉服店　個人蔵
Sugiura Hisui *Mitsukoshi* vol.17, no.7
Published by Mitsukoshi Gofukuten
Private Collection
June 1927

下｜Bottom　4-12
杉浦非水
『三越』第18巻第4号
表紙「花下」
発行：三越呉服店　個人蔵
Sugiura Hisui *Mitsukoshi* vol.18, no.4
Published by Mitsukoshi Gofukuten
Private Collection
April 1928

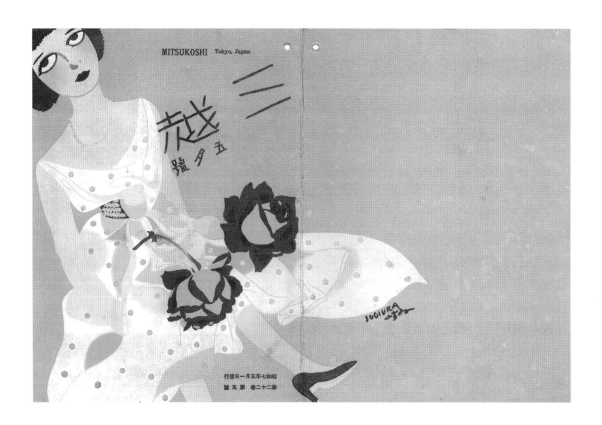

左上｜Upper Left 4-13
杉浦非水
『三越』第22巻第5号
表紙「初夏」
発行：三越　個人蔵
Sugiura Hisui *Mitsukoshi* vol.22, no.5
Published by Mitsukoshi
Private Collection
May 1932

左下｜Lower Left 4-15
杉浦非水
『三越』第22巻第11号
発行：三越呉服店、三越　愛媛県美術館
Sugiura Hisui *Mitsukoshi* vol.22, no.11
Published by Mitsukoshi Gofukuten
The Museum of Art, Ehime
November 1932

右上｜Upper Right 4-14
杉浦非水
『三越』第22巻第10号
表紙「月暈」
発行：三越　個人蔵
Sugiura Hisui *Mitsukoshi* vol.22, no.10
Published by Mitsukoshi
Private Collection
October 1932

4-16
杉浦非水
『大阪の三越』第2年第4号
発行：三越大阪支店
個人蔵
Sugiura Hisui
Osaka Mitsukoshi vol.2, no.4
Published by Mitsukoshi Osaka Branch
Private Collection
April 1926

4-17
杉浦非水
『大阪の三越』第2年第7号
発行：三越大阪支店
個人蔵
Sugiura Hisui
Osaka Mitsukoshi vol.2, no.7
Published by Mitsukoshi Osaka Branch
Private Collection
July 1926

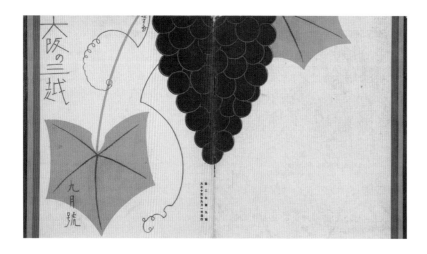

4-18
杉浦非水
『大阪の三越』第2年第9号
発行：三越大阪支店
個人蔵
Sugiura Hisui
Osaka Mitsukoshi vol.2, no.9
Published by Mitsukoshi Osaka Branch
Private Collection
September 1926

4-19
杉浦非水
『大阪の三越』第5年第1号
表紙「鏡を見るクレオパトラ」
発行：三越大阪支店
個人蔵

Sugiura Hisui
Osaka Mitsukoshi vol.5, no.1
Published by Mitsukoshi Osaka Branch
Private Collection
January 1929

4-20
杉浦非水
『大阪の三越』第5年第5号
発行：三越大阪本店
愛媛県美術館

Sugiura Hisui
Osaka Mitsukoshi vol.5, no.5
Published by Mitsukoshi Osaka Main Store
The Museum of Art, Ehime
May 1929

4-21
杉浦非水
『大阪の三越』第6年第5号
表紙「燕の歌」
発行：三越大阪支店
個人蔵

Sugiura Hisui
Osaka Mitsukoshi vol.6, no.5
Published by Mitsukoshi Osaka Branch
Private Collection
May 1930

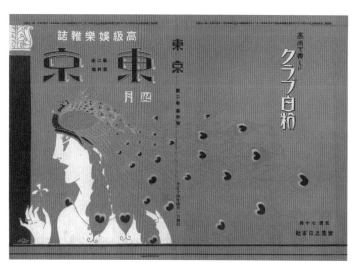

上｜Top　4-22
杉浦非水
『東京』第1巻第2号
発行：実業之日本社
個人蔵
Sugiura Hisui
Tokyo vol.1, no.2
Published by Jitsugyo no Nihon Sha, Ltd.
Private Collection
October 1924

中央｜Center　4-23
杉浦非水
『東京』第1巻第4号
発行：実業之日本社
個人蔵
Sugiura Hisui
Tokyo vol.1, no.4
Published by Jitsugyo no Nihon Sha, Ltd.
Private Collection
December 1924

下｜Bottom　4-24
杉浦非水
『東京』第2巻第4号
発行：実業之日本社
個人蔵
Sugiura Hisui
Tokyo vol.2, no.4
Published by Jitsugyo no Nihon Sha, Ltd.
Private Collection
April 1925

ヨーロッパ遊学の経験から、日本におけ
る図案研究の必要性を強く感じた非水
は、帰国翌年の1925年（大正14）、日
本で初めてのデザイン研究団体である
「七人社」を設立した。1919年（大
正8）より日本美術学校の図案科講師
に就任していた非水のもと、図案家の
学生であった岸秀雄や新井泉（新井
三男）、野村昇らがメンバーとなり、翌
1926年（大正15）には日本橋三越に
て創作ポスターの展覧会を開催してい
る。1927年（昭和2）より、機関誌で
もあるポスター研究雑誌『アフィッシュ』
（フランス語で「ポスター」の意）が非水
監修のもと刊行された。

　非水が手掛けた表紙は、赤・白・黒の
メリハリのある色使いと、ユーモラスな
ポーズのデフォルメされたヌード像によっ
て、強いインパクトと同時に軽やかさを
生み出している。　　　　　（Y.N.）

上｜Top　4-25
杉浦非水
『アフィッシュ』第1年第1号
発行：七人社
愛媛県美術館
Sugiura Hisui
Affiches, vol.1, no.1
Published by Shichininsha
The Museum of Art, Ehime
July 1927

下｜Bottom　4-26
杉浦非水
『非水創作図案集』
発行：文雅堂
愛媛県美術館
Sugiura Hisui
Collection of Original Designs by Hisui
Published by Bungado
The Museum of Art, Ehime
1926

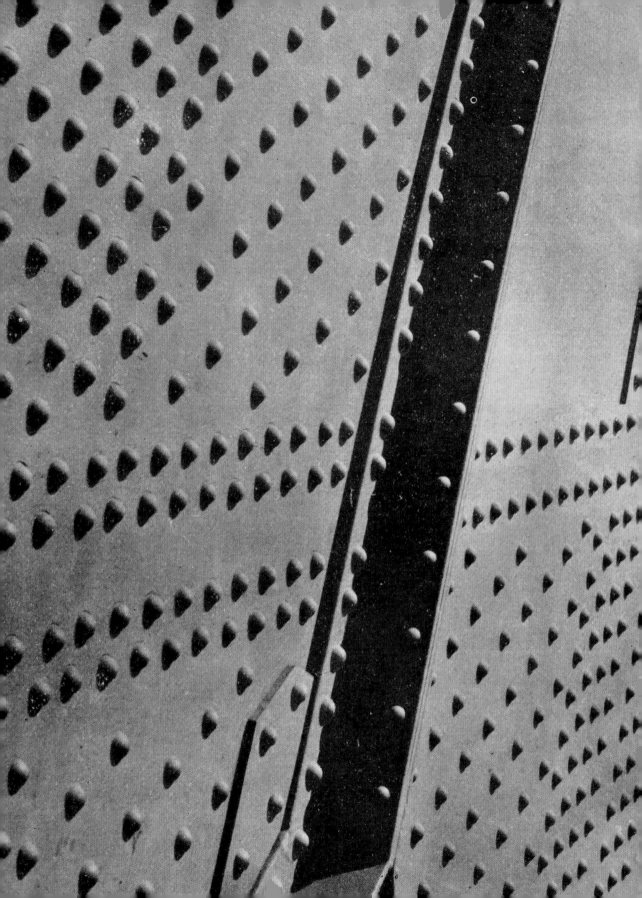

上｜Top 4-27
ポスター「スクーター」
発行：中央貿易株式会社
京都工芸繊維大学美術工芸資料館
Poster "Scooter"
Published by Chuo Boeki Co. Ltd.
Museum and Archives,
Kyoto Institute of Technology
1920s
AN. 4516

下｜Bottom 4-28
ポスター「ヱビスビール」
発行：大日本麦酒株式会社
京都工芸繊維大学美術工芸資料館
Poster "Yebisu Beer"
Published by Dainippon Beer Company
Museum and Archives,
Kyoto Institute of Technology
ca. 1930
AN. 5283-02

くや輝に代時新
御園クレーム
バニッシング
一個二十五銭

4-32　ポスター「御園クレーム」
伊東胡蝶園、ポーラ文化研究所
Poster "Misono Creme"
Published by Ito Kochoen
POLA Research Institute of Beauty & Culture
ca. 1932

4-33　アール・デコ風鏡台
ポーラ文化研究所
Dressing Table in Art Deco Style
POLA Research Institute of Beauty & Culture
Showa era

4-34　御園チタニューム粉白粉（肌色）
伊東胡蝶園　ポーラ文化研究所
Misono Titanium Face Powder (natural skin color)
Ito Kochoen
POLA Research Institute of Beauty & Culture
Early Showa era

4-35, 36　パピリオ　白粉箱
伊東胡蝶園　ポーラ文化研究所
Papillio Face Powder
Ito Kochoen
POLA Research Institute of Beauty & Culture
Early Showa era

日本のポスターを彩った「キネマ文字」

大阪生まれの山田伸吉（1901-1981）は、19歳の頃にはすでに松竹のポスターを描いていたとされる。松竹は、1923年（大正12）に京阪神地区最大規模の大阪松竹座を開場し、翌年には京都新京極の焼失した明治座を京都松竹座と改称して、大阪と京都で同時に外国映画を封切るなど、演芸のみならず映画興行にも力を入れるようになった。このふたつの劇場を拠点に、山田は舞台意匠や舞台装置を手掛けるようになる1927年（昭和2）頃までの数年間、映画・演劇ポスターや、興行プログラムが掲載された『松竹座ニュース』のデザイナーとして活躍する。

　《映画「十誡」》（監督：セシル・B・デミル、1923年にアメリカで公開）（Cat. no. 4-30）は1925年（大正14）3月に大阪・京都で同時公開され、《映画「禁断の楽園」》（監督：エルンスト・ルビッチ、1924年にアメリカで公開）（Cat. no. 4-31）は同年10月に京都で封切られた。山田はこれらのポスターのデザインを手掛けている。映画のタイトルや「松竹座」の装飾的な図案文字は、後に「キネマ文字」や「活動文字」と呼ばれるようになったもので、当時の映画広告で爆発的に流行した特徴的な書体であった。外国映画を日本に紹介する上で、紙面を彩るこうした文字の存在は不可欠であり、デザイン化された欧文書体を参考に、図案家たちは競い合うように独自の「キネマ文字」を生み出していった。ただし、「キネマ文字」の発祥は必ずしも映画ポスターであるとは断言出来ず、1920年（大正9）頃から中山太陽堂クラブ化粧品の広告や、1922年（大正11）に創刊されたプラトン社（中山太陽堂が設立した出版社）の雑誌『女性』のタイトル文字にも、すでに「キネマ文字」と同様のデザイン性が見いだせる（Cat. no. 4-29）。

　また、「十誡」のポスターに登場するモーセには、映画の配給元から支給されたスチール写真やブロマイドなどの宣伝材料が使用されたと考えられており、どこまでをデザイナー山田伸吉のオリジナルと見なすかは難しい問題である。しかし、当時の日本の映画界で抜きん出た資本力と宣伝力をもっていた松竹を舞台に、贅沢な広告を創り出すことが出来た山田が、アール・デコや構成主義といった西洋の芸術潮流から大きな影響を受け、1920年代のモダンな広告美術、そしてキネマ文字の創出と流行に大きな役割を果たしたことは明らかであろう。　　　　　　　　（Y.N.）

参考文献：西村美香「1920年代の日本の映画ポスター：松竹合名社　山田伸吉の作品について」『デザイン理論』37、1998年、15-30頁。

4-30
山田伸吉
ポスター「十誡」
発行：松竹座　京都工芸繊維大学美術工芸資料館
Yamada Shinkichi
Poster "Ten Commandements"
Published by Shochiku-za Theater
Museum and Archives, Kyoto Institute of Technology
1925
AN. 2694-22

4-31
山田伸吉
ポスター「禁断の楽園」
発行：松竹座　京都工芸繊維大学美術工芸資料館
Yamada Shinkichi
Poster "Forbidden Paradise"
Published by Shochiku-za Theater
Museum and Archives, Kyoto Institute of Technology

1925
AN. 2694-27

4-29
山名文夫
ポスター「女性 十月特別号」
発行：プラトン社　京都工芸繊維大学美術工芸資料館
Yamana Ayao
Poster "Josei, October Special Number"
Published by Platon
Museum and Archives, Kyoto Institute of Technology

ca. 1925
AN. 5278-08

4-39
坂田一男
コンポジション
福岡市美術館
Sakata Kazuo
Composition
Fukuoka Art Museum
1926

　岡山県に生まれた坂田一男（1889-1956）は、20代半ばより本郷絵画研究所や川端画学校で絵画を学んだのち、1921年（大正10）に渡仏し、1933年（昭和8）までの長きにわたりフランスで画家として活動することとなる。パリに到着後、アカデミー・モデルヌでオトン・フリエス（1879-1949）に師事するも、2年後には同じアカデミーのフェルナン・レジェの教室へと移り、レジェの圧倒的な影響下にキュビスムを、次いでピュリスム（純粋主義）の様式を修得していく。

　本作品を制作する前年の1925年（大正14）、パリではアール・デコ博が開催され、師であるレジェはル・コルビュジエやアメデ・オザンファンとエスプリ・ヌーヴォー館に関わり、壁面に展示するための絵画を提供している。同年12月、坂田はレジェ、コルビュジエ、オザンファンらと「今日の芸術（L'Art d'aujourd'hui）」国際展に出品し、病気療養中のレジェに代わってオザンファンとともにレジェ教室の指導にあたるなど、フランスの前衛芸術家たちと密接に関わりながら画風を確立していった。こうして本作品を描いた1926年（大正15）には、レジェの《女と花》（Cat. no. 1-23）や、レジェがエスプリ・ヌーヴォー館のために制作した《バラスター》（1925年、ニューヨーク近代美術館）のように、複数の面を重ねた幾何学的な多層構造の画面に、人物やオブジェを断片的に配置するという、師のピュリスム時代の典型的なスタイルを踏襲していく。本作品においても、平坦な色面とグレーの諧調で立体感を施したパーツ（人体の一部にもみえる）、記号のような幾何学的なモティーフと機械部品を思わせるメタリックな形体、直線と球体といった対比的な要素が構築的に重ねられており、秩序だった画面に仕上げられている。

　機械を賛美し、機械的要素や構造を絵画に取り込んだレジェの作風を継承し、ダダやシュールの作品にみられるクローズアップされ断片化された機械部品に触発された坂田は、両大戦間期のフランスに生きた画家として、「機械時代」の影響を最も顕著に受けた日本人であるといえよう。　　　　　　　　　　（Y.N.）

河辺昌久《メカニズム》を読み解く

新潟生まれの河辺昌久(1901-1990)は、中学卒業後に画家を志して美術学校の受験を望むも、医者であった父親の急死に伴い進路の変更を余儀なくされ、1921年(大正10)に上京し日本歯科医学専門学校(現在の日本歯科大学)へ入学。3年目の1923年(大正12)、同校創立者の息子で、歯科医師であり画家でもあった中原實がフランスから帰国したことが、その後の河辺の人生に大きな影響を与えることとなる。同年9月の関東大震災後、新興美術運動に身を投じた河辺は、翌1924年(大正13)に中原が飯田橋九段の自邸の焼け跡に建設した「画廊九段」の活動に深く関わっていく。中原が組織した日本初のアンデパンダン展(無審査展)である「首都美術展覧会」の委員となった23歳の河辺は、同年11月に画廊九段にて開催された同展に本作品を出品した。

　「メカニズム」というタイトルに象徴されるように、様々な機械部品と思しきモティーフが画面全体に描き込まれ、複雑な機械構造の中に、頚部を切り開かれた男性の頭部や解剖図のような左手が接続され、それらが機械の一部として機能するかのような異彩を放つ作品である。紙(一部は布)によるコラージュが多数施されており、左上の「L'ESPRIT NOUVEAU」は、ル・コルビュジエらが発行した雑誌『エスプリ・ヌーヴォー』(1920-1925年)(Fig. 1)の表紙の切り抜きを貼り付けたと思われる。1920年代前半には、日本にも『エスプリ・ヌーヴォー』の読者が相当数いたことが判明しており[註1]、河辺が入手することもそれほど困難ではなかったのだろう。また、男性の右上にある星印の付いた丸いマークには、「CHYPRE ODYSSEE」との表記があり、1868年にベルリンに開業した香水メーカー「フランツ・シュヴァルツローゼ(Franz Schwarzlose)」社の、香水用アトマイザーボトルの広告の一部であることが分かる(Fig. 2)[註2]。アメリカの「シールライト(Sealright)」社が製造する飲料用カップの広告画像も貼られていることから、河辺は海外の雑誌等の宣伝ページから度々イメージを引用していたと考えられる。男性の頚部の下には布製らしきマダガスカルの地図が、耳の下にはタイプライターの印刷物が貼られているなど、画面の至るところに細かなコラージュが確認でき、その数は30ヵ所を超える。特に、機械のパーツやパイプを描いたところに、機械部品の画像を巧妙に貼り合わせることで、「L'ESPRIT NOUVEAU」や地図などのコラージュによって画面に違和感を生じさせる作用とは異なる、機械のリアルな構造や質感を表現することに成功している。

　歯学生として、河辺は日々人体の構造について学び、生身の人間の体に触れる機会も多かったのだろう。機械主義を非常にダイレクトに体現しながらも、自身の生業や身体への生々しい意識が渾然一体となった、日本における機械主義を代表する一点を描き上げた。

(Y.N.)

註1)『ル・コルビュジエ 絵画から建築へ──ピュリスムの時代』(展覧会カタログ)国立西洋美術館、2019年、244頁。
註2)この広告は1919年に発行されたものであり、当時の様々なファッション雑誌に掲載されていた。

Fig. 1

Fig. 2

Fig. 1　アメデ・オザンファン、ル・コルビュジエ編『エスプリ・ヌーヴォー』1号、1920年、大成建設株式会社
Fig. 2　フランツ・シュヴァルツローゼ社の香水アトマイザーの広告　Franz Schwarzlose – Print as Chypre Odysse atomizer spray. 1919 @Archiv L. Herrmann.

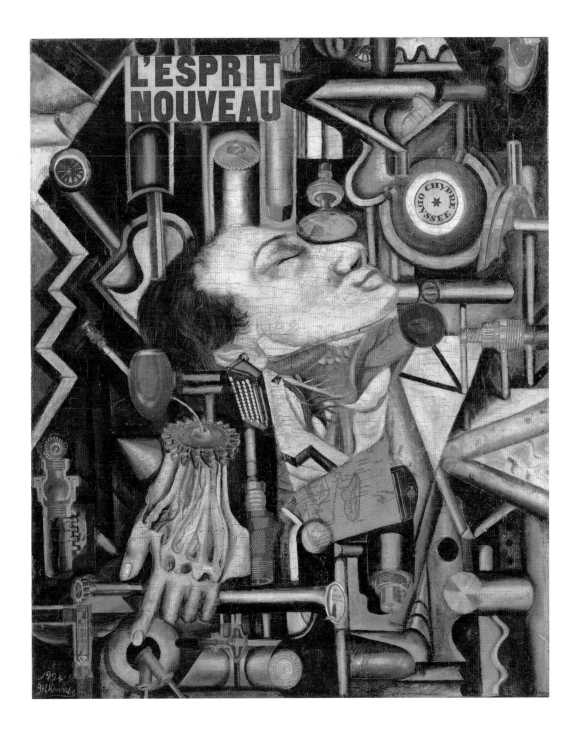

4-38
河辺昌久
メカニズム
板橋区立美術館
Kawabe Masahisa
Mechanism
Itabashi Art Museum
1924

4-37
中原實
ヴィナスの誕生
東京都現代美術館
Nakahara Minoru
Birth of Venus
Museum of Contemporary Art Tokyo
1924

東京に生まれた中原實（1893-1990）は、父の市五郎が創立した日本歯科医学専門学校（現在の日本歯科大学）卒業後、ハーバード大学に学び、1918年（大正7）から1923年（大正12）までフランス陸軍歯科医として勤務した経験を持つ異色の画家である。パリではアカデミー・ド・ラ・グランド・ショミエールに通い、未来派やダダ、シュルレアリスムなどの芸術運動に触発される。帰国後の1923年（大正12）に二科展に入選を果たすと、翌年には父親の出資により、日本で最初の前衛美術専門の「画廊九段」を飯田橋九段の自宅跡に開設し、その後も「三科造形美術協会（三科）」や「単位三科」を舞台に活動を展開した。戦後は日本歯科大学学長や日本歯科医師会会長といった要職を歴任している。

　本作品は第一次世界大戦敗戦後のベルリンの都市生活をモンタージュ風に描いたとされ、現地滞在中に感化された風刺画家ジョージ・グロス（1893-1959）の影響が色濃く反映されている。頭部や下半身のみの断片化された人物像が折り重なるように描かれ、工場や煙突、車、蓄音機、楽器や食器が置かれたテーブル、果物、「TANZ（タンツ）」（ドイツ語で「ダンス」の意）の文字などによって隙間が埋め尽くされている。中央にそそり立つ下半身を赤く塗られた裸体の女性が"ヴィナス（ヴィーナス）"であろうか。医療従事者として大戦を経験した中原にとっては、機械そのものや幾何学的なフォルムよりも、戦車や飛行機といった近代兵器による身体の切断と、医療行為を通した再生こそがヨーロッパで目にした現実であった。その経験に基づき、ダダやシュルレアリスムにおけるかたちの切断と再構成という意義を本質的に理解し、作品として表現することができた稀有な日本人であったといえよう。

　　　　　　　　　　　　　　　　　　　　（Y.N.）

「マヴォ（MAVO）」は、約1年間のドイツ滞在から帰国した村山知義（1901-1977）を中心に、旧未来派美術協会の柳瀬正夢（1900-1945）や尾形亀之助（1900-1942）らが1923年（大正12）に結成した大正期新興美術運動を代表する前衛芸術家集団である。展覧会のみならず、過激なパフォーマンスでも注目された。

　1924年（大正13）7月に機関誌『マヴォ』を発行し、1925年（大正14）8月までに7号を世に送り出した。上下左右どの向きでも読めるような斬新なデザインの表紙は、この集団の自由でアヴァンギャルドな精神を表しているかのようである。そうした奔放な誌面構成は中面にも続いており、メンバーによる版画や詩、パフォーマンス写真などが自由なスタイルでレイアウトされている。当時ヨーロッパで隆盛していたダダや構成主義といった様々な前衛芸術の動きがデザイン面にも反映されており、表紙を飾る特徴的なタイトル文字をはじめ、幾何学的な抽象形体、工業的・機械的なイメージが誌面を彩っている。　　　　　（Y.N.）

上｜Top　D-4-05
村山知義、岡田龍夫、萩原恭次郎編
『マヴォ』5号
板橋区立美術館
Ed. Murayama Tomoyoshi, Okada Tatsuo,
Hagiwara Kyojiro
Mavo, No.5
Itabashi Art Museum
June 1925

左下｜Lower Left　D-4-06
村山知義、岡田龍夫、萩原恭次郎編
『マヴォ』6号
板橋区立美術館
Ed. Murayama Tomoyoshi, Okada Tatsuo,
Hagiwara Kyojiro
Mavo, No.6
Itabashi Art Museum
July 1925

右下｜Lower Right　D-4-07
村山知義、岡田龍夫、萩原恭次郎編
『マヴォ』7号
板橋区立美術館
Ed. Murayama Tomoyoshi, Okada Tatsuo,
Hagiwara Kyojiro
Mavo, No.7
Itabashi Art Museum
August 1925

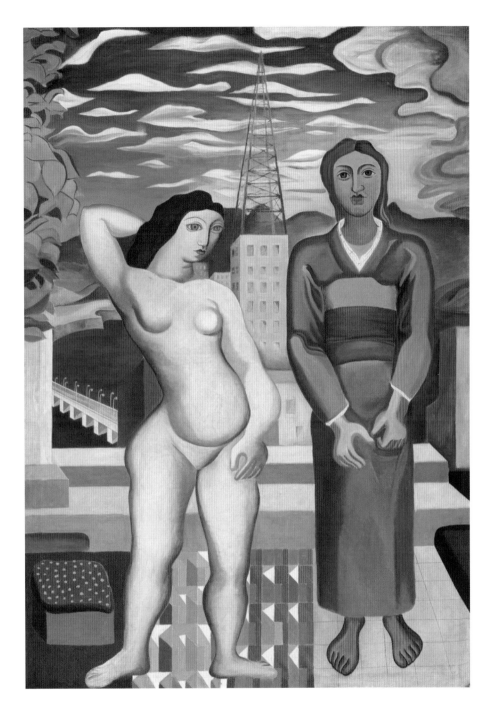

4-40
岡本唐貴
丘の上の二人の女
東京都現代美術館
Okamoto Toki
Two Women on the Hill
Museum of Contemporary Art Tokyo
1926

4-41　古賀春江　現実線を切る主智的表情
株式会社西日本新聞社（福岡市美術館寄託）
Koga Harue Intellectual Expression Traversing a Real Line
The Nishinippon Shimbun Co., Ltd. (Deposited in Fukuoka Art Museum)
1931

HARUÉ KOGA

キュビスムやシュルレアリスムなど、ヨーロッパの新しい芸術動向を貪欲に摂取した古賀春江（1895-1933）は、1929年（昭和4）以降、大量複製メディアである科学雑誌やグラフ雑誌の図版や絵葉書の図柄を集め、モンタージュ風の手法で絵画を作り上げるようになる。しかしそうした印刷物を画面に直接貼り付けるのではなく、あくまで"手描きの絵画"にこだわり続けた古賀は、飛行船や工場、機械、ロボットなどを頻繁に画面に登場させ、油絵具の物質性を極力排除した平滑で無機的なマティエールで描いた。

画面左側では女性がスタンディングの姿勢で短機関銃を構える。それは1919年（大正8）からアメリカで製造が開始された、円形の弾倉（ドラムマガジン）を特徴とするトンプソン・サブマシンガンと思しき銃であり、その銃口の先には、前脚を大きく上げて柵を乗り越えようとする白馬と、その背に立ち手綱を引くロボット、そして女性が狙いを定める柵の先端の白い標的が描かれている。左から右へ、奥から手前へと向かう動的な緊張感が画面を引き締める一方で、一点の雲もないあざやかな青空と、片手を挙げるロボットのどこか鷹揚な雰囲気は、シュルレアリスムに影響を受けた古賀が1929年以降に手掛けた絵画の世界観に通底している。本作品の馬は、1926年（大正15）の『アサヒグラフ』からの引用であることが分かっており（Fig. 1）、当初のスケッチでは図版に忠実に人間を描いていたようだが、最終的にはロボットへと変更されている。本作品と同年に発行された『東京パック』（1931年6月号）の裏表紙にも、古賀は女性とロボットを組み合わせたイラストを描いた。

本作品は1931年（昭和6）の第18回二科展へ出品した4点のうち、唯一所在が確認できるものである。他3点も本作品と同様、「朧ろなる時間の直線」や「感傷の生理に就いて」など難解なタイトルが付けられており、船やプロペラの付いた飛行物体といった機械的なモティーフと裸体の女性像が組み合わされている。　　　（Y.N.）

Fig. 1
『アサヒグラフ』6巻23号
（1926年6月2日発行）より

日本における「機械」と絵画、写真
――板垣鷹穂、古賀春江を中心に――

白政晶子

1. 大正期新興美術運動の機械主義

　20世紀初頭の西洋では、近代化の発展にともない、自動車や飛行機などの機械や鉄橋などの機械的建造物が、人々の生活に身近な存在となり、未来派、ダダ、立体派、ピュリスム（純粋主義）、構成派などの作品には、機械や機械的な構成、動きや速度などをモティーフやテーマにした「機械主義」の作品が見られるようになった。

　大正期には、1920年（大正9）に神原泰が結成した「未来派美術協会」や、神原、中川紀元、岡本唐貴、古賀春江らが結成した「アクション」、村山知義を中心とする「マヴォ」、中原實と仲田定之助の「単位三科」などの新興美術運動が興隆するなかで、機械形態に由来した構成的な造形が見られる。中原や村山と親交のあった河辺昌久《メカニズム》（Cat. no. 4-38）は、解剖されたような人の頭部や手とともに機械形態やタイポグラフィが構成され、機械主義を色濃く反映しているといえる。

2. 板垣鷹穂による「機械美」論

　昭和期に入ると、1929年（昭和4）から1931年（昭和6）にかけて美術史家の板垣鷹穂（1894-1966）が、機械文明と芸術との関わりやその美学を体系的に論じたことにより、機械主義が流行し、画家や文学者、評論家、美学者等の間で機械主義に関する議論が活発化した。

　板垣は、東京帝国大学で美学者の大塚保治に美学・美術史を学び、その後、約半年間の欧州留学を経て、1929年（昭和4）4月に「機械文明と現代美術」（『思想』83号）、同年9月に「機械と芸術との交流」（同88号）、その後1931年（昭和6）6月まで、機械に関するさまざまな視点を反映させた論考を20本以上、機械主義に関する著書『機械と芸術との交流』（Cat. no. D-4-08）、『新しき芸術の獲得』（Cat. no. D-4-10）、『優秀船の芸術社会学的分析』（天人社、1930年）を次々と発表する。板垣の機械主義に関する著書はモダンな装丁によっても知られ、特に著書『機械と芸術との交流』は、写真やタイポグラフィ、装丁にはモホイ＝ナジ・ラースローの著書『絵画・写真・映画』（原題：Malerel, Photographie, Film 1924）の影響がみられるが、板垣は本の内容を斬新なデザインによって表現しようとしたとされ、写真製版やタイポグラフィにこだわった、最新の機械技術に裏付けられた書籍となっている。

　板垣による一連の機械文明の考察は、日本のプロレタリア芸術運動、新興写真運動や前衛絵画の理論的根拠として大きな影響を及ぼし、板垣は同時代芸術の論者として一躍時代の寵児となった。

　板垣が示した機械文明と芸術を考察する上での論題は、板垣の「現代芸術考察者の手記」（『新興芸術研究』第1輯、1931年2月）に基づき、主に以下の3点にまとめることができる。

D-4-08
板垣鷹穂『機械と芸術との交流』
岩波書店
早稲田大学
Itagaki Takao, *Kikai to geijutsu to no koryu
(The Correspondence between Machine
and Art)*
Iwanami Shoten
Waseda University
1929

D-4-09
板垣鷹穂『優秀船の芸術社会学的分析』
天人社
早稲田大学
Itagaki Takao, *Yushu sen no geijutsu shakaigaku teki bunseki (An Artistic and Sociological Analysis of First-class Ships)*
Tenjinsha
Waseda University
1930

D-4-10
板垣鷹穂『新しき芸術の獲得』
天人社
早稲田大学
Itagaki Takao, *Atarashiki geijutsu no kaku-toku (Acquisition of New Art)*
Tenjinsha
Waseda University
1930

D-4-11
堀野正雄『カメラ・眼 × 鉄・構成』
木星社書院
日本カメラ博物館
Horino Masao, *Camera me × tetsu: Kosei, Camera: Eye × Steel: Composition*
Tokyo: Mokuseisha Shoin
JCII Camera Museum
1932

1．自動車や飛行機などの機械形態そのものの審美性

2．映画、建築などにみられる機械技術と芸術との関連性

3．機械をモティーフとした芸術

このうち1は、板垣が実際の自動車や飛行機を調査し、機能と美に関する分析を行い、「機械美」という新たな概念を提唱するに至った。板垣が考える「機械美」とは、機能に即した機械的形態やその動きなどに内在する新たな美の規範であった。

2、3については、板垣によると「機械」は20世紀初頭のイタリア未来派や立体派の作品のモティーフやテーマとなったが、機械文明が成熟した「現代」において、機械美は、機械技術と表現が不可分な芸術ジャンルである映画、建築において本質的に表現されるという。特に板垣を魅了したのは、建築では当時最新の建築材であったガラスや鉄筋を使用したモダニズム建築、映画ではジガ＝ヴェルトフのモンタージュ論や、ワルター・ルットマンの『伯林―大都会交響楽』（1927年）に見られるモンタージュやテンポの良い場面展開などの前衛映画にみられる最新の機械技術を取り入れた表現であった。

板垣が示した3つの論題のうち、板垣が特に重要視したのは1と2であり、3に上げた機械をモティーフとした芸術表現については、過去の機械主義と見なし、積極的に取り上げることはなかった。

D-4-09

3．シュルレアリスムと機械美 ―古賀春江―

板垣が提唱した機械美論に呼応するかのように、芸術家や評論家たちの関心は、機械をモティーフとして描くことよりもむしろ、機械的表現技法を取り入れた表現をそれぞれの芸術分野でいかに実現するかということに向けられるようになる。1930年（昭和5）4月の『新潮』に掲載された座談会「文芸・美術・建築・機械の交流に就いて語る」は、こうした問題意識を反映している。参加者は、東郷青児、阿部金剛、古賀春江、村山知義、川端康成、飯島正、板垣鷹穂、新居格など、前衛的な画家や作家、評論家たちであった。この座談会では、音や映像のリズム（テンポ）や複数のイメージを組み合わせて一つの画面を構成するモンタージュなどの映画表現を、他の芸術ジャンル（文学、音楽、美術など）に取り入れる意見が出され、映画特有の機械的表現技法が他分野の表現に参照されたことが窺える。二科を中心に、1920年代に前衛的な作品を発表していた古賀春江（1895-1933）は、機械美論にもっとも共鳴した画家の一人だった。座談会の中で古賀は、機械と美術との本質的な交流は、「機械のメカニズム」を作品に取り入れることにあるとし、絵画によって機械の複雑な構成や動力を表現するヒントとして映画の機械的表現技法を示唆した。古賀は、座談会での発言をさらに深化させ、1931年（昭和6）6月に「機械と美術」（『若草』「メカニズム新研究」特集）において、機械主義と美術に関する自身の考えをまとめた。この論考では、機械と美術をより本質的に結び付けるためには、既存の芸術作品のように、モティーフ

D-4-10

D-4-11

として機械形態を描くのではなく、機械的表現技法を作品に取り入れる「芸術の構成上のメカニズム」が重要であり、そのための「芸術の構成上の技術的方法」として古賀は、「機械的・科学的・主知的方法」を取るとしている。この言葉を踏まえて、古賀の作品に眼を向けると、1929年（昭和4）に制作された日本のシュルレアリスム絵画の幕開けとされる《海》（Fig. 1）や、《現実線を切る主智的表情》（Cat. no. 4-41）は、雑誌の写真などから引用した船、軍艦、人物、ロボットなどのモティーフをモンタージュする手法が取られ、映画の表現技法を採り入れた作品とみることができる。芸術上の課題であった「芸術の構成上のメカニズム」を実現するために、古賀は映画のモンタージュ技法を参考にしたと考えられよう。

　1930年代前後の二科では、古賀だけでなく、東郷青児、阿部金剛などを始めとした多くの画家が機械を描いたシュルレアリスム的な作品を発表し、日本における初期のシュルレアリスムは機械美論と密接なかかわりを持つに至ったとされる[1]。

Fig. 2　堀野正雄『カメラ・眼 × 鉄・構成』1932年より

4. 写真と機械美

　古賀が絵画に機械のメカニズムを取り入れることを探究した一方で、板垣の関心は、カメラ（機械）で機械的建造物を表現することに向けられた。

　板垣は、写真家の堀野正雄（1907-98）を撮影のパートナーとして、1930年（昭和5）から約一年かけて優秀船や鉄筋コンクリートの鉄橋などの機械的建造物を対象として、乾板と映画の実験的撮影を行った。当時の堀野は築地小劇場の舞台写真などを撮影した若手の写真家だった。板垣は、被写体の選択、カメラアングルの決定、印画の調子、印画紙の選択など撮影全般を指示し、質感や量感、構成的な複雑さなどの機械的建造物の特徴を、極端な俯瞰や仰ぎ、クローズアップなど、カメラアイが持つ表現的特徴を活かした写真技法を駆使しながら的確に捉え、機械のメカニズムと密接に関わった斬新な写真表現が次々と生み出された（Fig. 2）。

　板垣が堀野とともに発表した機械的建造物の写真群は、従来の日本にはなかった新しい写真イメージとしてプロ・アマ問わず注目され、写真雑誌には機械的建造物を撮影した写真が数多く投稿された。優秀船の写真を収めた板垣鷹穂『優秀船の芸術社会学的分析』（Cat. no. D-4-09）、堀野正雄『カメラ・眼×鉄・構成』（Cat. no. D-4-11）の二冊は日本の新興写真の代表作として記憶されている。また、板垣は、この時に撮影した写真を『若草』『科学知識』『フォトタイムス』などの雑誌に掲載しており、古賀が「機械と美術」を寄稿した『若草』「メカニズム新研究」には、板垣が堀野と撮影した優秀船や機械建造物の写真、また板垣の論考「船」が同時に掲載されていることも両者の関わりを考える上で興味深い。

5.おわりに

　板垣鷹穂による機械美論の提唱以降、絵画や写真、文学などの芸術分野では、機械のメカニズムを各芸術分野に取り入れた新たな表現が模索され、古賀春江はモンタージュを取り入れたシュルレアリスム的絵画を、板垣と堀野はカメラの機械性を活か

した写真表現を見出した。表現は異なるが、彼らの作品は、機械のメカニズムを作品に内在化させたという共通点が見いだせる。彼らは、より深化した理解の元で現代にふさわしい機械美の実現を目指したといえるだろう。このように機械主義を軸に展開しつつあった「新興芸術」の萌芽は、プロレタリア芸術運動の弾圧や古賀春江の死、板垣の論調の変化によって1932-33年（昭和7-8）には後退してしまう。

　板垣は、機械美以後も、機械や機械的建造物をカメラアイで特徴的に表現するというテーマを追求しつづけた。1935年（昭和10）6月に帝都復興を記念して開催された「大東京建築祭」（都市美協会主催）のポスター「大東京建築祭」（Cat. no. 4-43）は、都市美協会会員であった板垣が企画し、木村伊兵衛が撮影、原弘がデザインを担当している。鉄筋コンクリートで建設中のビルの屋上に配置されたクレーンの先には鉄骨の束が吊り下げられ、その上に人が立っている。小型カメラで撮影されたこの作品は、堀野との共同実験で得られた、構図やカメラアングルの工夫によって機械的建造物の質感や量感を効果的に捉えるカメラワークを踏襲しつつも、新たに、建造物を下から見上げた時に感じるスナップショット的な視覚効果や臨場感などの観者（＝撮影者）のまなざしが加わることで、静止した写真に生き生きとした動きの要素がもたらされ、よりいっそうカメラ独自の表現が実現されているように思われる。

[しろまさ・あきこ｜美術史家（日本近代美術研究）]

1. 古賀春江と機械主義の関りについては、以下を参照されたい。大谷省吾「超現実主義と機械主義のはざまで：古賀春江、阿部金剛、東郷青児」（『藝叢：筑波大学芸術学研究誌』11、pp.101-132、1994）、速水豊「Ⅳ古賀春江」『シュルレアリスム絵画と日本 イメージの受容と創造』（日本放送出版協会、2009年）。

Fig. 1　古賀春江《海》1929年（昭和4）東京国立近代美術館

4-42　古賀春江　白い貝殻　ポーラ美術館
Koga Harue　White Shell　Pola Museum of Art
1932

数多くのブックデザインやポスターの仕事によって、戦後の日本を代表するグラフィックデザイナーとして知られる原弘（1903-1986）は、1920年代の駆け出しの頃には新興美術運動に身を投じていた。1925年（大正14）、村山知義や岡本唐貴、中原實らを会員とする「三科造形美術協会（三科）」の第2回展に水彩とリトグラフ作品が入選。その後、三科の分裂・解散後に結成された「造形」にはメンバーとして参加し、『無産者新聞』の宣伝ポスターを手掛けて警察に撤去を命じられている。原のデザイン理論は、商業美術よりもむしろ、ロシア構成主義やプロレタリア美術運動が掲げた芸術の大衆化や普及といった考えによって培われたといえる。

　1930年代に入ると、当時新進気鋭の写真家であった木村伊兵衛（1901-1974）らを共同作業者として、写真を用いたポスターや新聞広告を次々と発表していく。《ポスター「大東京建築祭」》（Cat. no. 4-43）は、1935年（昭和10）6月に都市美協会が主催した「建築文化展覧会」や建築設計コンペなどを含む大規模事業を宣伝するものである。都市美協会（設立時は都市美研究会）は、関東大震災後の1925年（大正14）に都市の美化を謳う有識者らによって設立され、震災後の復興期における建築美の増進と建築文化の普及を目的としていた。本作品では、色数は少ないものの、今まさに組み立てられている巨大な鉄骨やクレーンを記録した木村の写真と、原による明快なレタリングが力強い効果を生み出している。カメラという機械が捉えたリアリズムによって、従来の図案のみのポスターとは一線を画すダイナミックな視覚デザインを実現した。
　　　　　　　　　　　　　　　　　　　　　　　　（Y.N.）

左上 | Upper Left　4-44
原弘
ポスター「大東京建築祭」（青）
発行：都市美協会
特種東海製紙株式会社
Hara Hiromu
Poster "Greater Tokyo Architecture Festival"
Published by Toshibi Kyokai
Tokushu Tokai Paper Co., Ltd.
1935

右上 | Upper Right　4-45
原弘
ポスター「島津マネキン新作品展覧会」
発行：島津製作所マネキン部
特種東海製紙株式会社
Hara Hiromu
Poster "Shimadzu Mannequin New Works Exhibition"
Published by Shimadzu Corporation
Mannequin Department
Tokushu Tokai Paper Co., Ltd.
1935

右 | Right　4-43
原弘
ポスター「大東京建築祭」（赤）
発行：都市美協会
特種東海製紙株式会社
Hara Hiromu
Poster "Greater Tokyo Architecture Festival"
Published by Toshibi Kyokai
Tokushu Tokai Paper Co., Ltd.
1935

大東京建築祭

建築祭　6月8日午后1時・日比谷公会堂　主催　・・・
建築文化展覧会　6月12日➡20日・日本橋三越　都市美協會

No.6

油彩画やフォトグラム、エッチングなど、様々な技法で作品を制作
した瑛九（1911-1960）によるフォト・コラージュ作品群。1点の
み黒い台紙を用い、他は白い台紙に雑誌からの切り抜きを貼り
合わせ、No.1、2、9のように得体のしれない奇妙な物体を再構
成したタイプや、No.4、6、8のように古代の神殿や現代の鉄骨
構造を組み合わせて非現実的な風景を作り出したタイプの作品
がある。使用したのは海外のファッション雑誌や映画雑誌だと思
われるが、女性像や建築写真の他にも、人間や動物の顔や身体
のパーツ、地表や皮膚を思わせるテクスチャー、仏教彫刻の足下
で踏まれる邪鬼など、多様なジャンルの写真が確認できる。

　本作品に取り組む前年の1936年（昭和11）、瑛九はそれまで
の杉田秀夫という本名から「瑛九」へと名前を変え、画壇への本
格的なデビューを果たしていた。芸術の大衆性や社会性という問
題に向き合い続けた瑛九は、1930年（昭和5）頃からすでに印
刷技術や写真製版技術といった機械文明を基盤とする大量複
製メディアについて論じ、積極的に作品に用いている。本作品に
おいても、大衆に享受された映画や写真、グラフィックといった機
械時代の新しいメディアによって、前衛的な芸術表現を切り拓こ
うとする姿勢が窺える。　　　　　　　　　　　　　　（Y.N.）

No.9

No.3

No.4

No.5

No.7

No.1

No.2

No.8

No.10

No.11

4-46
瑛九
フォト・コラージュ
個人蔵
Eikyu
Photo Collage
Private Collection
1937

第一次世界大戦を経験し、1920年代から1980年代にかけてアマチュアの映画監督として活躍した荻野茂二（1899-1991）による、影絵風のSFアニメーション。主人公は監督自身の名を冠した荻野茂二という人物である。彼は作中で、再び訪れた世界大戦に従軍し、制作から10年後となる1942年（昭和17）に爆撃によって死亡するが、科学の力によって生き返り2032年の世界へと召喚される。荻野の子孫だと称する人物の案内で、過去も未来も映すことができる"マジックテレビジョン"を体験し、"中央市"へと呼称の変わった未来都市・東京を見物、最後には原子力によって火星旅行へ飛び立つというストーリーである。

本作品は、「時間旅行」や「未来都市」、「宇宙旅行」といった要素に満ちた、日本における最初期のSF映画とされる。制作されたのは1932年（昭和7）で、科学や機械が著しく発展し、豊かな未来に対する期待感や高揚感が高まる一方、前年の1931年（昭和6）には満州事変が勃発し、軍国主義への道をひたひたと歩み始めた時代でもあった。荻野は10年後の世界大戦を予見するだけでなく、100年後の幻想的な未来を夢想し、兵器や科学の力による人間のあっけない結末を、幾何学的な影絵の織り成す効果によって喜劇的に描き出している。生涯に450本以上の映画を制作した荻野は、国際コンクールを含め数々の映画コンテストに入賞しており、前衛的な実験映画も多数残した。　　（Y.N.）

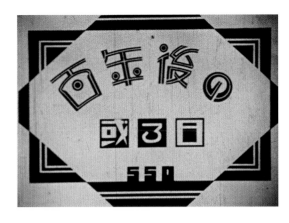

実に不思議だ
私は何でここに
居るのだらう
私は一九四二年の
世界大戦爭の時に
死んだ筈なのだが

4-47
荻野茂二監督
映画「百年後の或る日」
国立映画アーカイブ
Ogino Shigeji (Director)
A Day after a Hundred Years
National Film Archive of Japan
1933

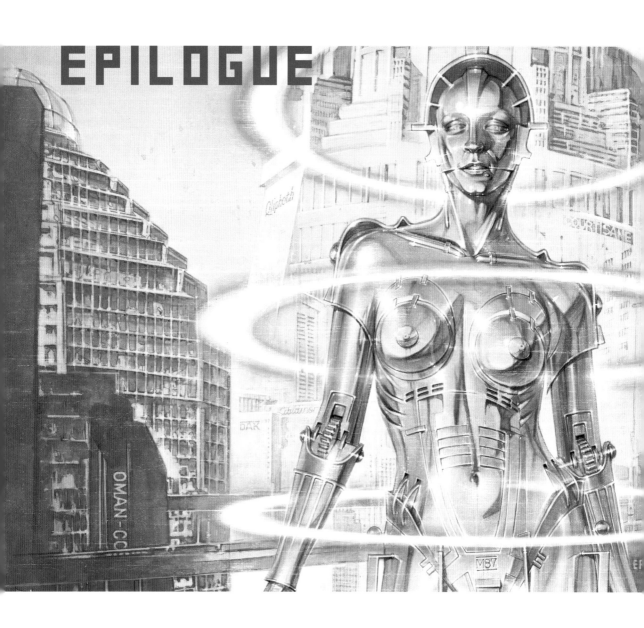

EPILOGUE

エピローグ

21世紀のモダン・タイムス

21st Century "Modern Times"

1959年に、ひとつの基盤の上に電子回路を集めた半導体集積回路（IC）が発明されると、機械の制御システムは電子化されて小型化し、歯車やゼンマイで動作をコントロールしていたアナログな「機械時代」は終わりを迎える。1970年代にコンピューターが発達し、1995年にWindows 95が登場すると、インターネットの普及とともに瞬く間にデジタル技術は産業や生活を変えた。半導体の登場以降現れたコンピューター、そして通信機器と一体化して普及したスマートフォンという機械（マシン）は、21世紀を生きる我々の生活にはもはや欠かすことのできないものとなっている。2023年以降、生成AI（人工知能）が爆発的に普及し、製造業やサービス業で活用され始めており、AIの知性が全人類の知性を超える「シンギュラリティ」（技術的特異点）が近い将来訪れるのではないかと囁かれている。1936年にチャップリンは、大型の工場機械に主人公が文字通り飲み込まれてしまう喜劇映画によって、機械時代を描き出した。今日、我々はコンピューターやスマートフォン、そして生成AIという機械に再び飲み込まれ始めてはいないだろうか。およそ100年前の「機械時代」の人々のように、技術の利便性に期待を抱きながらも、人間の力を大きく凌駕する機械に翻弄される不安がアクチュアルな問題として現前化している。

　エピローグでは、21世紀において機械に関するテーマを探究する3人の作家を紹介する。アラビア語のカリグラフィを刻んだ円盤を巨大な機械の歯車に見立て、アラブ世界の近代化を表象する映像作品《モダン・タイムス、ある機械の歴史》（Cat. no. 5-01）を手掛けたムニール・ファトゥミ（1970-）。イラストレーターとして官能的なロボットのイメージを生み出してきた空山基（1947-）。インターネットを利用して作品を作りながら、デジタルとフィジカル（物理的）の境界線を探る大型のレンチキュラー作品に挑むラファエル・ローゼンダール（1980-）。この新たな機械時代に、人間は何を生み出すことができるのだろうか。近い将来、生成AIによるアートが人間の創造性を超えてしまう日が来るかもしれない。AI時代のはじまりに、機械と人間との関係を改めて考えてみたい。　　　　　　　　　　　　（S.Y.）

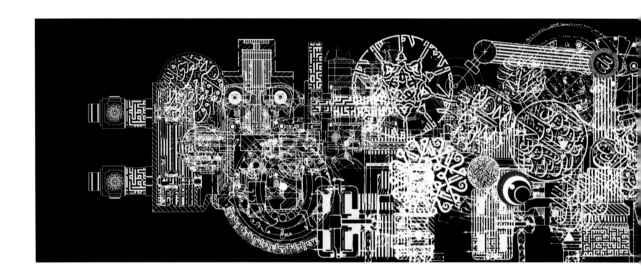

5-01
ムニール・ファトゥミ
モダン・タイムス、ある機械の歴史
Mounir Fatmi
Modern Times, a History of the Machine
2010
Video 11mins

ムニール・ファトゥミは、映像をはじめ、絵画、ドローイング、立体、空間全体を用いたインスタレーションなど多岐にわたる手法で、古来から記録・保存されてきた多様なメディアの消滅やテクノロジーの変容という主題を扱ってきた。彼の出身地であるモロッコを含むイスラム教世界の歴史と近代化をテーマにした《モダン・タイムス、ある機械の歴史》(Cat. no. 5-01)は、アラビア語を刻んだいくつもの歯車がかみ合い、巨大な工場の機械のように動き続ける映像作品である。チャップリンの映画からタイトルを引用しているように、機械化が進む世界を理性的に捉え、言語というメディアがテクノロジーの発達や変化を超えて受け継がれていることを物語っている。(S.Y.)

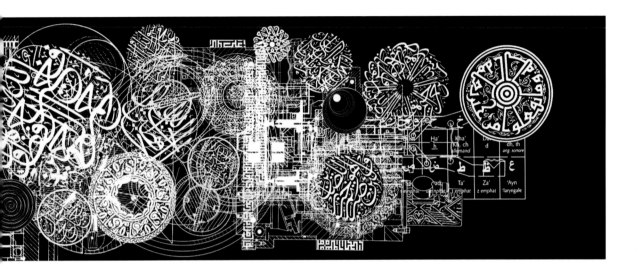

「アラビア語のカリグラフィによって、円形で記されたコーランの一節や預言者の教えと言葉は、私にとってまるで情報と知識を満載したコンピューター・コードのようなものである。これを、「モダン・タイムス」について語るようなヴィデオ・インスタレーションとしてまとめ上げれば、彼らのメッセージを理解する助けになるのかもしれないと考えた。私は宗教書を開き、古代のテキストを現代の文脈で使うことにとても興味を持っている。そうすることで、より多くの人の目に触れ、新しい世代が先人の言葉に興味を持つきっかけになればと思う。私の作品の大部分は、テクノロジーとアーカイブをテーマにしているのだ。」

——ムニール・ファトゥミ

"For me, the verses of the Koran and the prophet's advice and sentences written in circular Arabic calligraphy work like a computer code loaded with information and knowledge. That's why I had the idea of integrating it into a video installation that talks about Modern Times which will perhaps allow us to understand these messages. For me, it is very interesting to open religious books and use ancient texts in a contemporary context, and I think this can give more visibility and push the new generation to be interested in all these ancient texts. A large part of my work deals with the subject of technology and the archive."

—— Mounir Fatmi

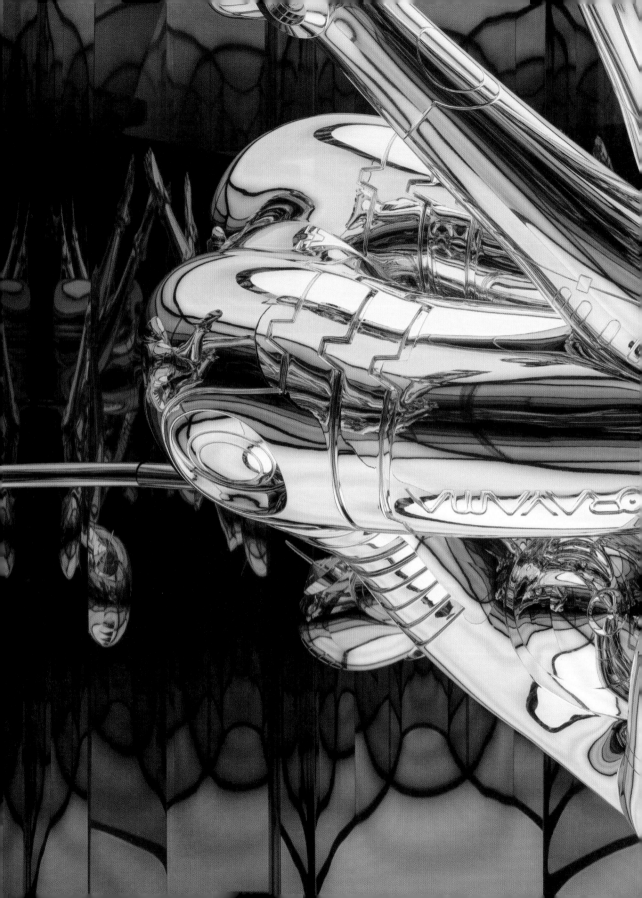

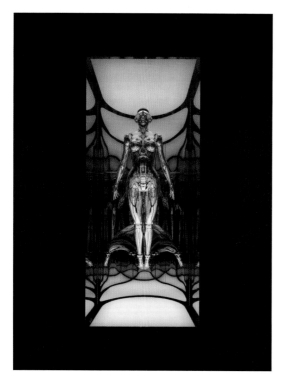

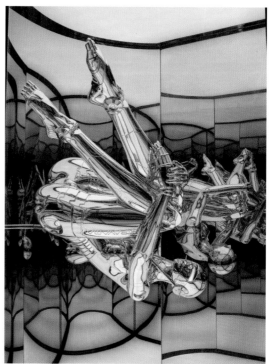

1978年から人体をロボットの造形に取り込んだイラストレーショ
ン「Sexy Robot」を制作してきた空山基は、二次元で表現して
きたイメージをヒューマンスケールの立体作品としても制作してい
る。空山が影響を受けたというフリッツ・ラング監督の映画『メトロ
ポリス』（1926年製作）では、労働者階級の女性マリアに似せ
て作り出されたアンドロイドのマリアが人々を扇動して未来都市メ
トロポリスを混乱に陥れ、最後は火あぶりに処せられる。この映
画が描き出す高度に機械文明が発達した未来は、映画製作時
から100年後となる2026年と設定されていた。「100年前の未
来」に強く感化された空山は、マジックミラーの箱の中に女性型
のロボットを配した立体作品を通して、「人間の身体性を超えた
未来」という、架空の物語を提示する。無限にひろがる宇宙を思
わせる空間の中で、重力から解放された金属的なロボットの身体
は、人類亡き後のポスト・ヒューマンの世界を見つめるように漂い
続けている。　　　　　　　　　　　　　　　　　　　　（S.Y.）

左上｜Upper Left　5-03-01
空山基
Untitled_Sexy Robot type II floating
Hajime Sorayama
Untitled_Sexy Robot type II floating
Courtesy of NANZUKA
2022

右上｜Upper Right　5-03-2
空山基
Untitled_Sexy Robot_Space traveler
Hajime Sorayama
Untitled_Sexy Robot_Space traveler
Courtesy of NANZUKA
2022

右｜Right　5-02
空山基
Untitled
Hajime Sorayama
Untitled
Courtesy of NANZUKA
2023

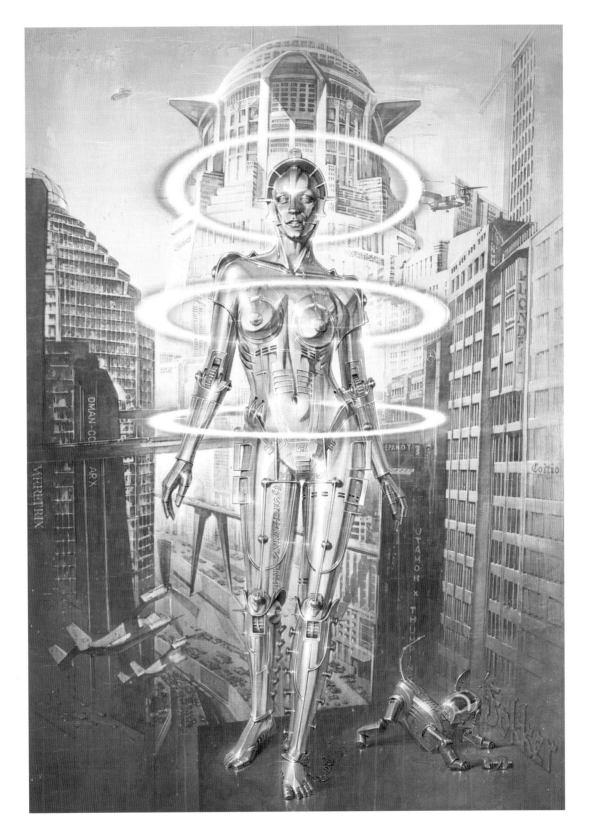

初期から一貫して、インターネットやデジタルの領域で活動を続けるラファエル・ローゼンダール。2010年に公開した作品《Into Time.com》は、ウェブサイトに埋め込んだ自動生成プログラムによって、閲覧者のクリック動作に合わせて画面が分割され、ブラウザ内に新たなイメージが無限に生み出されていくインタラクティヴな作品である。彼がインターネット上に公開した作品は、端末機器を通して所有や距離という制約を超えて、世界中のあらゆる場所で閲覧することが可能であり、固定した枠や形を持たない流動的な存在となる。

　デジタル技術の特性を活かした制作の一方で、彼はタペストリーや描画七宝というフィジカルな平面作品にも積極的に取り組むなど、仮想空間と物理的な現実空間との境界線を問い直す試みを続けている。その中でも、表面に施された無数の凸レンズによって、鑑賞者の動きに応じてイメージが変化するレンチキュラーは、実体のある平面作品でありながら、まるでインタラクティヴなデジタル作品のように、変容するイメージの生成を実現する技法であった。高さ3メートルに及ぶ大型のレンチキュラー作品は、絶えず変化するイメージが鑑賞者の視野を包み込み、非物質的な空間へ眼差しを誘う。その流動的でイマーシヴなイメージは、作家が霧やガスにたとえるインターネットというヴァーチャルな空間の不確実さを示しているかのようだ。　　　　　（S.Y.）

左 | Left　5-04
ラファエル・ローゼンダール
Into Time.com
ウェブサイト
ヌー・アバス蔵
Rafaël Rozendaal
Into Time.com
Website
Collection of Nur Abbas
2010 (Screenshot from 2024)

右 | Right　5-05
ラファエル・ローゼンダール
Into Time 23 10 05
レンチキュラー
Rafaël Rozendaal
Into Time 23 10 05
Lenticular
Courtesy of Takuro Someya
Contemporary Art
2023

資　料
Documents

Now and Then:
An Introduction to *Modern Times in Paris 1925*

Shoji Yoh | Curator, Pola Museum of Art

Among the films I repeatedly watched in elementary school were a series of silent comedies starring a droll man with an inimitable gait and a mustache. I later learned that he also directed the films, but as a child, I was ignorant of what went into the films' production and was simply captivated by how the man nimbly navigated various mishaps with such comedic flair. A standout for me was a film in which the main character was a factory worker. I don't know how many times I rewound the videocassette and watched a scene, lasting less than a minute, where he gets caught in a conveyor belt and entangled in the giant cogs of a machine. After emerging from the gears, the man seems to have become mechanized himself, and tightens parts of his fellow workers' bodies with a wrench before hurrying outside with bizarre, jerky movements. He is sent off to a hospital as a mental case, but he escapes, meets an impoverished woman on the streets, moves in with her and regains his humanity.

Modern Times, this cynical cinematic depiction of human beings as supposedly in control of machines but actually "mechanized" and ensnared in the system, was released in the United States in 1936[1]. Having taken part in World War I without seeing combat on its own soil, the US reaped economic benefits and grew into an industrial dynamo surpassing the emerging European powers. A scarcity of skilled artisans contributed to the mechanization of industry, which was hailed as a rational, revolutionary breakthrough that enabled even the inexperienced to become proficient at manufacturing after a brief training period[2]. The "Machine Age" was coined, and an era of glorification of industrial civilization began. Value systems changed, and items mass-produced with streamlined, standardized procedures were prized over goods handcrafted on the basis of experience and tradition. New materials were incorporated into items that mimicked the forms of machines and skyscrapers, and aesthetic values were upended as new machine-made landscapes of colossal machinery, high-rise buildings, and massive bridges were lauded as beautiful.

Celebration of the mechanical emerged concurrently in various forms in the countries that had gone through World War I. As early as 1909, before the war, Filippo Marinetti and other Futurists in Italy who had published the Futurist Manifesto in the French daily newspaper *Le Figaro*, extolling the dynamism and speed of machines as symbols of a new era. They issued many statements until around 1915, influencing others in nations throughout Europe and even in Japan[3].

After the UK spearheaded the initial Industrial Revolution, in the early 19th century Germany made advances with what was known as the second Industrial Revolution, harnessing oil and electricity as power sources for heavy industry including steelmaking. In France industrialization began somewhat later, but in the 1850s a railway network linked industrial centers in various cities and propelled their growth. In the second half of the 19th century the economy around the capital, Paris, began to develop, and as numerous World's Fairs held from 1855 onward showed, during these years France was engaged in a technological race with the UK. Economic and industrial rivalry among the Western powers intensified around the end of the century, and in the early years of the 20th century rising tensions led to the outbreak of World War I in 1914. In the first total war in human history, massive machines such as airplanes and tanks that dwarfed human strength were deployed on the battlefield. Infantrymen on the front lines hunched down in trenches, never knowing when to expect attacks from enormous tanks or aerial bombardment, and countless lives were lost in combat.

After World War I, Europe sought to revolutionize its value systems for the coming era, not only in terms of art but also industry and lifestyles, integrating fundamental elements of modern civilization such as technology, science, and industry into art. In Germany in 1923, the Bauhaus declared a "new unity of art and technology," eventually influencing the development of design in various other countries. In France, which had emerged victorious after enormous suffering and entered a period of recovery and prosperity, this movement reached a pinnacle with the International Exhibition of Modern Decorative and Industrial Arts (commonly known as the Art Deco Exhibition) of 1925, which popularized geometric forms and patterns in architecture, interior decoration, and everyday items. However, the Great Depression sparked by the 1929 New York stock market crash caused a radical paradigm shift in the previously prosperous Western powers and their colonies. Tragedy breeds comedy, and the plot of Modern Times grew out of this rapid fall from all-too-brief post-World War I prosperity, reflecting new skepticism towards modern civilization and capitalism.

Modern Times in Paris 1925

This exhibition, Modern Times in Paris 1925, derives its title from the aforementioned film and focuses on Paris, which had been at the forefront of new art since the late 19th century, in exploring the impact of the Machine Age on art and design. In the 1920s, inorganic mechanical elements began intertwining with art, the most organic of human endeavors. Fernand Léger, who had been enthralled by Chaplin's films during World War I, introduced a puppet named Charlot into his 1924 film Ballet Mécanique (Fig. 1). This work exploring relationships between people and machines in those years can also be seen as a reassessment of human creativity. The exhibition's first section, "Man and Machine: Modernist Utopianism," presents works by artists inspired by the dynamism of machines such as airplanes and automobiles, which emerged in the late 19th century and grew increasingly commonplace through the 1920s post-World War I era. Early on, Claude Monet and other Impressionist painters turned their eyes toward modernity as seen in railways, vast train stations, and other new structures and lifestyles. However, early 20th-century avant-garde artists such as Léger, who had experienced World War I, were captivated by the textures and movements of machines themselves. At the same time, engineers designing these machines began seeking aesthetic beauty in their creations. The widespread adoption of the car also propelled the pursuit of beauty in machines from a commercial standpoint.

Of course, there is an ironic side to the optimistic vision of machines embodied by the word "utopia." Fritz Lang's Metropolis, made in 1926 and released in 1927, portrays a futuristic city ruled by a highly sophisticated industrial regime. On the surface, the city of Metropolis is a paradise under the rational management of machines, but beneath it lies a dystopia where vast numbers of workers are enslaved to serve the city. Led by the lifelike humanoid robot Maria, the masses rebel, leading to the collapse of Metropolis. This and other art of the Machine Age implied the peril of machines infiltrating human creativity, which is defined by originality and aesthetic sensibilities. This sense of crisis is evident in the words Marcel Duchamp reportedly spoke to Constantin Brancusi when they visited an aviation exhibition:
"Painting's washed up. Who'll do anything better than that propeller?"[4]
Inspired by this conversation, Brancusi gradually simplified the bird-themed sculptures

1. References to Modern Times (cat. no.1-08) are based on information from the Chaplin Office: https://www.charliechaplin.com/en/films/6-Modern-Times [accessed November 27, 2023]

2. With regard to the Machine Age, reference was made to the following materials: K. G. Pontus Hultén, The Machine: As Seen at the End of the Mechanical Age [exh. cat.], New York: Museum of Modern Art, 1968; The Machine Age in America, 1918-1941 [exh. cat.], New York: Brooklyn Museum in association with Abrams, 1986.

3. In the late 1910s the Futurists, influenced by Purism and other artistic movements, published the Manifesto of Futurist Mechanical Art, and in 1931 they significantly broadened their scope by publishing the Manifesto of Futurist Aeropainting. Cf. Futurism 1909-1944 [exh. cat.], Tokyo: Sezon Museum of Modern Art; Sapporo: Hokkaido Museum of Modern Art; Sendai: Miyagi Museum of Art; Otsu: Shiga Museum of Art, Tokyo: Tokyo Shimbun, 1992.

4. This conversation took place when Duchamp visited the fourth aviation show in Paris with Brancusi and Léger, held from October to November in 1912. Marcel Duchamp, Duchamp du signe. Écrits, réunis et présentés par Michel Sanouillet, nouvelle édition revue et augmentée avec la collaboration de Elmer Peterson (Paris: Flammarion, 1994), p. 242. English edition: Marcel Duchamp, The Writings of Marcel Duchamp, ed. Michel Sanouillet and Elmer Peterson, Oxford University Press, 1973.

he was working on, eventually creating *Bird in Space* (cat. no. 1-21), which embodies the streamlined forms of propellers and aircraft. Robert Delaunay, also captivated by aircraft, used aerial photography in 1926 to capture Paris from the sky and incorporated these views into his works (cat. no. 1-31)[5]. The following year, the American aviator Charles Lindbergh made headlines with his solo non-stop flight across the Atlantic from New York to Paris, drawing widespread attention to airplanes as machines epitomizing scientific and technological advancement. Meanwhile, machine-produced duplicative media such as photography, film, and phonograph records saw technical and qualitative improvements and increased portability, enabling new modes of expression. In 1925 Victor released the Victrola Credenza, touted as the ultimate record player, and in Hamburg, Leica introduced the portable Leica Type A camera. Later, Leica portable cameras were used by photographers such as Brassaï, Henri Cartier-Bresson, and Kimura Ihei. The evolution of machines began to influence the fundamentally originality-based nature of art.

Rejection of the Previous Century

After World War I ended with the Treaty of Versailles in 1918, France emerged from the privations of wartime and entered a hedonistic era known as *Les années folles* (lit. "the crazy years") in France, or the Roaring Twenties in the Anglophone world. Rejection of prewar culture manifested in three major trends – a return to classicism, an interest in exoticism, and modernism – resulting in an multifarious, intertwined cultural landscape[6]. Art Nouveau, characterized by organic curves, was seen as representing the previous generation. In stark contrast to the sinuous, handcrafted beauty popularized by the 1900 Paris Exposition, the postwar period saw the adoption of décor with geometric forms evoking standardized mass-produced goods, leading to the emergence of what later became known as Art Deco.

The second section of this exhibition, "Graceful Machines: Art Deco and the Dream of the World's Fair," interprets Art Deco, the decorative style that epitomizes the 1920s, from the perspective of the Machine Age. However, it was actually in 1966 during the *Les Années 25*[7] exhibition at the Musée des Arts Décoratifs in Paris that the term "Art Deco" was first used in this sense. It appeared in the exhibition catalogue in place of the term "modern style" employed at the International Exhibition of Modern Decorative and Industrial Arts (commonly known as the Art Deco Exhibition)[8], leading to the current association of the phrase "Art Deco" with the iconic 1920s style.

While propelled by Modernism, the mode of decorative art known as Art Deco, characterized by geometric features, was not actually based on modernist rationality. Rather, it represented a paradigm shift from the traditional décor and ornamentation that had previously graced household objects and architecture, adopting geometric forms that were essentially "quasi-mechanical" in an era that exalted the machine. Art Deco also extended to decoration of ever-larger modes of transportation such as the Orient Express, the ship *Normandie*, and automobile hood ornaments, as seen in the major projects undertaken by René Lalique in the late 1920s.

Critiques of Modernist Rationality: Surrealism

While artists inspired by the Machine Age or associated with Art Deco celebrated technology and rationality as symbols of the new era, there were contrarian

5. Robert Delaunay, *Portfolio* (cat. no. 1-31), exhibited here, is based on the proof prints of a portfolio published in 1926, and was reissued in 1969 with the signature of his wife Sonia Delaunay under the supervision of Atelier Delaunay.

6. *Art Deco 1910-1939* [exh. cat.], London: Victoria & Albert Museum, 2003.

7. *Les Années "25": Art Déco / Bauhaus / Stijl / Esprit Nouveau* [exh. cat.], Paris: Musée des Arts Décoratifs, 1966.

8. Ibid., p.10.

movements that emerged in response to these trends. Dada, an anti-aesthetic movement that emerged during World War I, rejected art-world conventions. Later, the Surrealists used automatism to pursue the "surreal," i.e. "beyond the real," in layers of the unconscious inaccessible to reason. This movement marked a rejection of the rationality that underpinned modernity[9].

Surrealism was not a style characterized by specific formal qualities, but rather a movement that aimed to change the way we perceive the world through techniques including automatism. "Surrealism and Painting,"[10] published by André Breton as a treatise in 1925 and later in book form in 1928, did not outline the formal aspects of Surrealist painting but rather introduced the concept of the surreal as accessed through painting and the endeavors of artists such Max Ernst who shared these ideas. The shift from "creating" to "accessing" imagery was a crucial element of Surrealism. Both Dada and Surrealism transformed everyday objects and machines by stripping them of their functionality and imbuing them with symbolic meanings in line with the creator's internal models, in what were termed *objets* (art objects).[11] The scope of the *objet* extended beyond daily items to parts of the body captured through the camera lens. Close-ups of eyes, lips, or feet, fragmented and stripped of functional roles such as "seeing" or "eating," become objects of perverse sexuality. This exhibition's third section, "Meaningless Machines: Dada and Surrealism," views their embrace of the *objet* as a form of anti-mechanical ethos, contradicting the functionalism epitomized by Le Corbusier's famous statement that "a house is a machine for living in."

Reconstruction of the Capital After the Great Kanto Earthquake

Section 4 of the exhibition shifts the focus to Japan, which was significantly influenced by Europe in the 1920s. While there was no combat on Japanese soil during World War I, the 1923 Great Kanto Earthquake devastated most of Tokyo, which had been rapidly growing since the Meiji era (1868-1912). In response, the Imperial Capital Reconstruction Agency, under the direct auspices of the Cabinet, formulated the Reconstruction Project of the Imperial Capital[12] and began rebuilding the city.[13] This plan involved laying down major arterial roads, parks and plazas, building Tsukiji Market, and constructing and renovating water supply and sewage systems, canals, bridges, and rivers, radically reshaping the city. Though the scope of the plan was scaled down in practice, Tokyo evolved into a modern city with massive reinforced concrete buildings and sturdy steel bridges, resilient to earthquakes and fires. The designer Sugiura Hisui, who had gone to study in Europe in 1922, added splashes of cheerful dynamism to the rebuilt city. While traveling to Germany, Austria, and France, he had contemporary design such as that of the Wiener Werkstätte and the Art Deco style. Hisui, active as a designer for the Mitsukoshi department store since the 1910s, noted that the flowing curves of Art Nouveau were already outdated in Europe, and after returning to Japan, he shifted to a simplified geometric style reminiscent of Art Deco. Around the same time, the subway began running between Ueno and Asakusa and large department stores were built in Shinjuku, marking a new era in Tokyo. Hisui's graphic designs played a significant role in shaping new symbolic image of the modern city of Tokyo during its reconstruction phase.

During these years, Hisui and other designers produced "design pattern books," and the popular imagery of the day spread nationwide.[14] In addition to Hisui's own *Collection of*

9. Shoji Yoh, "From Surrealism to Painting, From *Cho-genjitsu-shugi to 'Shuru,'*" *Surrealist Painting* [exh. cat.], Hakone: Pola Museum of Art, 2019, pp.14-17.

10. André Breton, *Le Surréalisme et la peinture*, Paris: NRF, 1928.

11. André Breton did not actually describe the concept of the *objet* until 1936, but it encapsulates a line of thinking, focusing on the objectivity of the readymade and the subject-object relationship, that runs consistently through art movements from Dada to Surrealism. Cf. *Dictionnaire De L'objet Surréaliste* [exh. cat.], Paris: Centre Pompidou, Paris: Centre Pompidou and Gallimard, 2013.

12. Summary of The Reconstruction Project of the Imperial Capital," *Compilation of Public Documents No. 47 (1923): Vol. 30, Geography, Land, Miscellaneous, Police, Administrative Authorities, Judicial Authorities, Health and Sanitation, Temples and Shrines, 1923*, National Archives of Japan: https://www.digital.archives.go.jp/DAS/meta/listPhoto?LANG=default&BID=F0000000000000006647&ID=&TYPE= [accessed on November 27, 2023]

13. "1923 Great Kanto Earthquake [Part 3]," Report of the Special Committee on Inheritance of Lessons from Disasters, Cabinet Office Special Committee on Inheritance of Lessons from Disasters, 2009:

Original Designs, which he produced based on his illustrations, many other pattern books referencing Japanese and international graphic design were also published. The tendency towards standardized designs in pursuit of a new "modern" image during this era can be attributed in large part to the role of these "design pattern books."

While Hisui and others influenced popular culture by lending a glamorous air to graphic design during the reconstruction period, the art world saw the rise of avant-garde movements aiming for freedom expression outside existing frameworks.[15] In 1922, the avant-garde group Action emerged from the Nika-kai art association, and in 1923, after returning from Germany, Murayama Tomoyoshi played a central role in forming Mavo. Their activities gained momentum after the Great Kanto Earthquake, leading to the formation of the radical group San-ka. Art movements in the late Taisho (1912-1926) and early Showa (1926-1989) eras, known as *shinko geijutsu* ["new emerging art"], drew inspiration from Dada and Constructivism. During these years, the art historian Itagaki Takao praised the "mechanical aesthetics" of machines and modern architecture, and artists working in various disciplines began addressing mechanical themes. In literature, the pioneering Japanese science fiction novelist Unno Juza published the story *"Denkiburo no kaishi jiken"* [Mysterious Death in the Electric Bath][16] in 1928, and in 1930, Yokomitsu Riichi published Kikai [Machine], a novel written in an inorganic style.[17] Images of machine-men and androids flooded newspapers and magazines, leading to what could be called a robot craze.[18] Koga Harue, who depicted a robot in *Intellectual Expression Traversing a Real Line* (cat. no. 4-41), was labeled a Surrealist after his work was shown at the Nika-kai exhibition in 1929, yet his celebration of modernity was fundamentally at odds with the anti-modernist ethos of Surrealism. Influenced by mechanistic principles, Koga's works could be described as hand-drawn montages, and in his sketchbooks he copied drawings of machines and cities from Itagaki's texts.[19] Meanwhile, Hara Hiromu, a designer who created posters for the Great Tokyo Architecture Festival organized by the Toshibi Kyokai [Society of Civic Art] led by Itagaki, pioneered a new mode of graphic design that combined photographs by Kimura Ihei with typography, departing from the stylized graphics of Hisui and others (cat. no. 4-43, 4-44).

Now and Then

While focusing on the Machine Age, this exhibition covers a broad range of themes, including contrasts between decorative arts and Surrealism from World War I through the 1920s and the incorporation and transformation of Art Deco and avant-garde art in Japan. Dilemmas surrounding technology and creativity reared their heads repeatedly throughout the 20th century. They emerge along the arc of artistic creation where technology surpassing human capabilities intertwines and clashes with our own creativity. Today, early in the 21st century, advances in digital technology have caused audiovisual information and monetary currency to become immaterial and digitized. The development of generative AI that can automatically produce images and text heralds an era where even creativity, once considered a sacrosanct human capacity, is becoming the province of machines.[20] In a post-physical era, what can art create? By touching on hopes and fears surrounding the future of civilization a century ago, we aim to reflect on the present and future state of humanity.

14. The design pattern books Sugiura published after returning to Japan are as follows: Sugiura Hisui, *Collection of Original Designs by Hisui*, Tokyo: Bungado, 1926; Sugiura Hisui and Watanabe Soshu, *Aesthetics of Design*, Tokyo: Atelier-sha, 1932. Hisui also contributed a foreword to the following book of design patterns: Fujiwara Taichi, *Patternized Practical Typography*, Tokyo: Daitokaku, 1925.

15. Significant studies of avant-garde art movements from the late Taisho (1912-1926) to the early Showa (1926-1989) eras include the following: Omuka Toshinori and Kawata Akihisa, eds., *Classic Modern: Japanese Art in 1930s*, Tokyo: Serika Shobo, 2004; Omuka Toshinori, Kikuya Yoshio, Takizawa Kyoji, Nagato Saki, Mizusawa Tsutomu, Nozaki Tamiko, *Taisho Avant-Garde Document Collection*, Tokyo: Kokusho Kankokai, 2006; *The Future 100 Years Ago: Modernists on the Move 1920-1930* [exh. cat.], Hayama: The Museum of Modern Art, Kamakura & Hayama, 2023.

16. Unno majored in electrical engineering at Waseda University, but he wrote "Mysterious Death in the Electric Bath" on a commission from the magazine *Shinseinen*, and after it appeared in the April 1928 issue, he produced many science fiction and mystery novels.

17. Yokomitsu Riichi, *Kikai* [Machine], Tokyo: Hakusui-sha, 1931 [first published in *Kaizo* vol. 12 no. 9, September 1930].

18. Inoue Haruki, *Japan's New Robot Century*, NTT Publishing, 1993.

19. With regard to the relationship of Koga Harue to Surrealism, cf. Hayami Yutaka, *Surrealist Painting and Japan: Reception and Creation of Images*, NTT Publishing, 2009, pp. 47-140.

20. The title of this essay is quoted from The Beatles' song "Now and Then," released in November 2023. The track features vocals extracted from a cassette tape recorded in 1978 by John Lennon, who died in 1980. The vocals were isolated using an AI-powered machine learning program, and the recording was released with instrumental accompaniment by the surviving Beatles members. This release was a symbolic event epitomizing the intersection of technology and art in 2023. It aptly reflects this exhibition's theme of reflection on the past, present, and future.

France and Japan in the Machine Age:
A Reconsideration

Komoto Mari

We must equip the machine age!
We must use the results of modern technical triumphs to set man free.
Le Corbusier, *The Radiant City*[1]

Men consummated a new creative act, a new Trinity: God the Machine,
Materialistic Empiricism the Son, and Science the Holy Ghost.
[...] Not only the new God but the whole Trinity must be humanized lest it
in turn dehumanize us.
Paul Strand, "Photography and the New God"[2]

The Machine Age emerged against a backdrop of technological advances during World War I and the radically transformed world that resulted from that devastating conflict. The term primarily refers to the interwar period and its Zeitgeist, in which machines were glorified as symbols of a new age.

In 1918, two prominent figures of the Machine Age, the Purist architect and painter Charles-Édouard Jeanneret (better known as Le Corbusier) and the Purist painter Amédée Ozenfant, asserted:

> *The War over, everything organizes, everything is clarified and purified;*
> *factories rise, already nothing remains as it was before the War: the great*
> *Competition has tested everything and everyone, it has gotten rid of the*
> *aging methods and imposed in their place others that the struggle has*
> *proven their betters...*[3]

During the reconstruction period, modes of labor changed as a result of mechanization and Taylorism (scientific management). A highly industrialized society emerged. Le Corbusier and others believed that *l'esprit nouveau* (a new spirit) would flourish in this age of pure rationality.

However, the Machine Age was a time of conflicting perspectives. On the one hand there was an optimistic view which praised machines, envisioned them bringing about a utopian future, and on the other there were dystopian fears that machines would dominate humanity. The latter vision is vividly expressed in Fritz Lang's film *Metropolis* (1927) and (albeit clothed in humor) Charlie Chaplin's *Modern Times* (1936).

As for the *term* "Machine Age," it gained currency via the Machine-Age Exposition held in New York in 1927. At this event, the works of American architects and artists were displayed together with those from Austria, Belgium, France, Germany, Poland, Russia and elsewhere. They were juxtaposed with machines, thus the entire exposition embodied the view that "the men who hold first rank in the plastic arts today are the men who are organizing and transforming the realities of our age into a dynamic beauty. They do not copy or imitate the Machine, they do not worship the Machine – they recognize it as one of the realities."[5] The Artists Committee for the exposition included the Cubist sculptor Alexander Archipenko, the Dadaists Marcel Duchamp and Man Ray, the French architect André Lurçat, and the American painter Charles Sheeler. The exhibition catalogue featured a text by the second-generation Futurist Enrico Prampolini titled "The Aesthetic of the

1. Le Corbusier, *La ville radieuse. Éléments d'une doctrine d'urbanisme pour l'équipement de la civilisation machiniste* (Boulogne: Éditions de l'Architecture d'aujourd'hui, 1935), p. 155. English edition: Le Corbusier, *The Radiant City: Elements of a Doctrine of Urbanism to be Used as the Basis of Our Machine-age Civilization*, Orion Press, 1967.

2. Paul Strand, "Photography and the New God," *Broom*, vol. 3, no. 4, November 1922, pp. 252, 257. "Trinity" refers to the Christian doctrine that God is essentially one but also exists as three distinct entities, the Father, the Son, and the Holy Spirit.

3. Amédée Ozenfant et Charles-Édouard Jeanneret, *Après le Cubisme* (Paris: Éditions des Commentaires, 1918), p. 11. English edition: Amédée Ozenfant and Charles-Édouard Jeanneret, *After Cubism*.

4. Jane Heap et al., ed., *Machine-Age Exposition*, exh. cat. (119 West 57th Street, New York, 1927).

5. Ibid., p. 36.

Machine and Mechanical Introspection in Art." For the cover was chosen the design of a ball bearing by Fernand Léger (Fig. 1).

As this international lineup illustrates, the Machine Age phenomenon was not limited to one country. Siegfried Giedion's seminal book *Mechanization Takes Command: A Contribution to Anonymous History*[7] (1948) as well as Reyner Banham's *Theory and Design in the First Machine Age*[8] (1960) which positioned the architecture of the Machine Age "between Futurist dynamism and Academic caution," both explored the art and design of the Machine Age across several countries and regions, though rather limited to Europe and North America. A significant exhibition at The Museum of Modern Art, New York (MoMA), *The Machine, as Seen at the End of the Mechanical Age*[9] (1968), was organized by the guest curator Pontus Hultén of Stockholm's Moderna Museet. He adopted a similar broad perspective as Giedion and Banham.

If the character of these three manifestations was transnational, the impact of another major retrospective *The Machine Age in America, 1918-1941*[10] at the Brooklyn Museum in 1986 contributed to the idea that this movement was specifically American. In Richard Guy Wilson's view, machine aesthetics had four stylistic aspects: (1) the modern, (2) the pure, in the sense of "machine purity," (3) the streamlined, and (4) the biomorphic. Of these, modernity (often identified with Art Deco) and machine purity (influenced by German Bauhaus, Dutch De Stijl, and French Purism) tend to be characterized by geometric forms and straight lines, while the streamlined and biomorphic styles deploy organic curves. This makes the two stylistic categories ostensibly appear quite different. However, it also speaks to the diversity of machine aesthetics; reactions to machines developing, as the machines did themselves (the streamlined style, for example, emerged in the 1930s).

The Machine Age thus becoming strongly associated with America, how was it perceived in France? French Purist artists as well as Puteaux Group Cubist artists (such as Léger, Robert Delaunay, and Raymond Duchamp-Villon) undoubtedly played a significant role in the 1927 Machine-Age Exposition, as well as in the text of Banham, and finally in the 1968 exhibition at MoMA. The exhibitions and Banham's book concern essentially the Anglo-American sphere. In France, the Machine Age has been addressed in publications such as Pierre Francastel's *Art & Technology in the Nineteenth and Twentieth Centuries*[11] (1956) and Marc Le Bot's *Peinture et machinisme*[12] (Painting and Machinism) (1973). Besides a relatively extensive literature focusing on the relationship between aviation and art[13], French publications on this subject[14] could not be considered as having the same importance as the Anglo-American approach.

In France, the term *Machinisme* (Machinism) is used rather than "machine age" (Thus, Le Corbusier referred to the machine age as the *époque machiniste*.[15]) The term *Machinisme* appeared in the 18th century as a philosophical term in reference to René Descartes's concept of the animal-machine. The *Machinisme* was then developed by Julien de La Mettrie, who in his *L'Homme machine* (1747) viewed human beings as machines, psychological processes included. Today, the *Machinisme* connects to the field of cybernetics. However, the *Machinisme* not only refers to the philosophical concept but also to the phenomenon, from the 19th century onwards, of the generalization and proliferation of machine.

The long philosophical tradition of *Machinisme* in France met with the emerging artistic practices in the interwar period. Generally the subsequent art-historical discourse has been skeptical towards the machine aesthetics associated with Modernism, favoring rather celebrations of timeless "humanity" or "humanism."[16] This view did not encourage

6. Enrico Prampolini, "The Aesthetic of the Machine and Mechanical Introspection in Art," in ibid., pp. 9-10. The original text (in Italian) first appeared in the July 1922 issue of the magazine *De Stijl*, and was later published in English translation in the October 1922 issue of *Broom*.

7. Siegfried Giedion, *Mechanization Takes Command: A Contribution to Anonymous History* (New York: Oxford University Press, 1948).

8. Reyner Banham, *Theory and Design in the First Machine Age* (London: Architectural Press, 1960).

9. K. G. Pontus Hultén, ed., *The Machine, as Seen at the End of the Mechanical Age*, exh. cat. (New York: The Museum of Modern Art, 1968).

10. Richard Guy Wilson, Dianne H. Pilgrim, and Dickran Tashjian, *The Machine Age in America, 1918-1941*, exh. cat. (New York: Brooklyn Museum of Art in association with Harry N. Abrams, 1986).

11. Pierre Francastel, *Art et technique aux XIXe et XXe siècles* (Paris: Minuit, 1956[1988]). English edition: Pierre Francastel, *Art & Technology in the Nineteenth and Twentieth Centuries* (Zone Books, 2000). In addition to the plastic arts of the 19th and 20th centuries, a considerable portion of the text is dedicated to architecture.

12. Marc Le Bot, *Peinture et machinisme* (Paris: Klincksieck, 1973). The period covered primarily extends from 18th-century encyclopedias to 20th-century abstract art and Dada, but as the title suggests, it focuses solely on painting and does not touch on architecture and so forth.

13. In France, there are numerous books and exhibitions that draw connections between aviation and art. Some references on the subject are: Nathalie Roseau, *Aérocity. Quand l'avion fait la ville* (Marseille: Éditions Parenthèses, 2012); Angela Lampe, éd., *Vues d'en haut*, cat. exp. (Metz: Centre Pompidou-Metz, 2013).

14. Relatively recent research in France can be found in Sonia de Puineuf, "Les artistes constructeurs de la 'civilisation machiniste,'" *Histoire de l'art*, n° 67, 2010, pp. 83-94. Among the subjects discussed is the relationship between *Machinisme* and typography.

15. Le Corbusier, *L'art décoratif d'aujourd'hui* (Paris: Flammarion, 2009), p. 131 (édition originale, G. Crès et Cie, 1925). English edition: *The Decorative Art of Today*, MIT Press, 1987.

to engage directly with the Machine Age. The present exhibition specifically reexamines French art and design of the interwar period from the perspective of the transnational Machine Age, and would shed light on the Machine Age in Japan. The years between the wars saw global networks spread via advances in transportation and communication, allowing Japan to embrace the developments of the Machine Age almost in real time, and to generate its own Machine Age art and design during this era. In Japan, too, discourse and examples of works from Machine Age should be positioned in a transnational context.

Representations of the Machine, or the "Plastic-Mechanical Analogy"?

The 1927 Machine-Age Exposition was the first to extensively explore the art and design of the Machine Age. From the beginning a problematic issue on this subject has been pointed out by Alexander Archipenko, who contributed a text to the exhibition catalogue. Citing Futurism and Dada as examples, he wrote, "I find dangerous [the] road in painting which represents only fragments of machines."[17] Archipenko outlined a vision of "the right road for the union of Art with Action, only by means which permit the interpretation of Action through movable forms and colors."[18] A similar viewpoint can be seen in a manifest by Enrico Prampolini:

> The plastic exaltation of The Machine and the mechanical elements must not be conceived in their exterior reality, that is in formal representations of the elements which make up The Machine itself, but rather in the *plastic-mechanical analogy* that The Machine suggests to us in connection with various spiritual realities.[19] [Emphasis mine]

Indeed, not only in Futurism and Dada but throughout the art of the Machine Age, including Chaplin's *Modern Times*, there were frequent representations of machine parts such as gears and ball bearings that had come to symbolize the Machine Age. Notably, Francis Picabia conveyed his vision of machine aesthetics to the Dadaists after meeting Tristan Tzara and Hans Arp in Zurich in 1919. Picabia's *Alarm Clock* (Fig. 2), a work created by a process in which "the detached pieces were bathed in ink and then imprinted at random on paper,"[20] was featured on the cover of *Dada* magazine nos. 4-5. This "alarm clock" can be considered as an indexical trace (C. S. Peirce) rather than a representation. Seemingly coherent gear mechanisms are actually random. Picabia's ironic machine aesthetic has its counterpart in Berlin Dada, as in Hannah Höch's photomontage *Cut with the Kitchen Knife Dada Through the Last Weimar Beer Belly Cultural Epoch of Germany* (Fig. 3). In the center of this work is placed a headless dancer who appears to hold and spin the head of the German artist Käthe Kollwitz, surrounded by figures such as the Emperor Wilhelm II, Hindenburg, Karl Marx, Lenin, Albert Einstein (the most prominent figure on the top left) – as well as Dadaists, including Hannah Höch herself. There are masses of people, and the skyscrapers of a metropolis, interspersed with ball bearings and other machine parts, "seizing new visual and ideological mirror images from the chaos of an era of war and revolution."[21]

The Hanover Dadaist Kurt Schwitters incorporated actual machine parts into his assemblages, as in *Merzpicture 29A. Picture with Turning Wheel* (Fig. 4). Schwitters wrote that "I learned to love the wheel [at the ironworks where I was mobilized during World War I]. There I came to realize that machines are also abstractions of the human mind. Since that time I have loved to combine machinery with abstract painting to create a total work of art."[22] Clearly, the machine aesthetics of Dada were not as simple as the superficial imitation that Archipenko saw, but rather an ironic take on machinery. In this sense, it can be seen as an abstraction of the human spirit.

16. Waldemar George, "Le Néo-humanisme," *L'Amour de l'art*, n° 4, avril 1934, pp. 359-361; René Huyghe, "'Après' l'Art moderne," *L'Amour de l'art*, n° 4, avril 1935, pp. 140-141. With regard to compilation of French art history in the 1930s, cf. Fujihara Sadao, *Kyowakoku no bijutsu: France bijutsushi hensan to hoshu / gakugeiin no jidai* [Art of the Republic: Compilation and Conservation of French Art History / The Age of the Curator], The University of Nagoya Press, 2023. The tendency to emphasize humanism endured beyond the 1930s.

17. Alexander Archipenko, "Machine and Art," in Jane Heap et al. ed., *Machine-Age Exposition*, op. cit., p. 13.

18. Ibid., p. 14.

19. Enrico Prampolini, "The Aesthetic of the Machine and Mechanical Introspection in Art," in ibid., p. 10.

20. Gabrielle Buffet-Picabia, "Some Memories of Pre-Dada: Picabia and Duchamp (1949)," translated by Ralph Manheim, in Robert Motherwell, ed., *The Dada Painters and Poets: An Anthology* (Cambridge, Massachusetts, London: The Belknap Press of Harvard University Press, 1981), p. 266 [First edition, Wittenborn, Schultz, 1951].

21. Raoul Hausmann, "Discours à l'exposition du Musée des Arts et Métiers de Berlin" (1931), dans Raoul Hausmann, *Courrier Dada*, nouvelle édition établie, augmentée et annotée par Marc Dachy (Paris: Allia, 1992), p. 48.

22. Kurt Schwitters, "[Kurt Schwitters Herkunft, Werden und Entfaltung]," *Sturmbilderbücher* IV, 1920, p. 2, in Friedhelm Lach, hrsg., *Kurt Schwitters: Das literarische Werk*, Band 5 Manifeste und kritische Prosa, (Köln: DuMont, 1981), p. 84.

Purism: Machines and "Order"

Fernand Léger, initially a Cubist affiliated with the Puteaux Group, became associated with Purism, after World War I, around 1920. Léger's painting *Woman with a Mirror* [cat. no. 1-22] represents a woman at her dressing table. Recognizable figurative elements such as eyes, hands, and half of a cup, are incorporated in the composition; nevertheless an overall impression is that of assemblage of machine parts. This may reveal Léger's persisting fascination with the metallic, reflective equipment he saw during his service in World War I.

> I [Léger] was captivated by the magic of the dazzling sunlight reflecting off the white metal at the rear of a 75mm cannon. It caused me to forget about abstract art from 1912 to 1913. It was a completely new discovery for me, both as a man and as a painter.[23]

However, while to Léger "*the beautiful machine* is a *beautiful* modern *subject*,"[24] (Léger's emphasis), he specified that "a machine or a machine-made object can be beautiful when the relationship of lines describing its volumes is balanced in an order equivalent to that of earlier architectures."[25] The key concept here is "order": "an order equivalent to that of earlier architectures." Léger's "geometric order"[26] refers to "mathematical order"[27] of Ozenfant and Jeanneret. For the Purists, works of art and machines both rely on geometry. This is why, in the tenth issue of *L'Esprit Nouveau* in 1921, Le Corbusier juxtaposed photographs of ancient Greek temples (Paestum, the Parthenon) and cars, treating them equivalently (Fig. 5). This juxtaposition is not far from Prampolini's concept of the "plastic-mechanical analogy."

Concerning his painting process, Léger emphasized what he called "the law of plastic contrasts,"[28] which involves juxtaposing flat areas of pure color (red, yellow, green) with gradations of grey and blue. Rather than directly representing machinery, he created "architectural paintings (peinture architecturée),"[29] his works following closely his principles.

Léger collaborated with the American filmmaker Dudley Murphy on the short film *Ballet Mécanique* (1923-24). Cinema, itself a fruit of technological progress, was an ideally suited medium for *Machinisme*. In *Ballet Mécanique*, fragmentary human bodies and machines are captured in close-up and reiterate rhythmic movements to kaleidoscopic effect. A similar representation of the abstract motion of machinery is Marcel Duchamp's *Anemic Cinema* [Cat. no. 3-01], in which rotating spiral disks generate a sense of depth and are interacted with pieces of text.

In 1925, Le Corbusier, Ozenfant, and Léger participated in the International Exhibition of Modern Decorative and Industrial Arts (commonly known as the Art Deco Exposition) in Paris, and took part in the Pavillon de l'Esprit Nouveau. Le Corbusier argued that "modern decorative art exists without decoration."[30] He rejected a display of luxurious decoration reserved only for the wealthy. Pursuing rationalism in architecture, Le Corbusier used standardized mass-produced objects and hung the walls with paintings such as Léger's *The Baluster* (Fig. 6). The central subject of *The Baluster* can be seen either as an ancient architectural motif or as a mass-produced metallic spark plug.

In fact, the exhibited works at the Art Deco Exposition were, for the most part, luxurious decorations, something that Le Corbusier exactly opposed; nevertheless, another important role of this event consisted in the promotion of modern *industrial* arts. Thus Cassandre's poster (Cat. no. 2-14) boldly expressed the mechanical beauty of the ship *Normandie* shown in a striking low-angle view, while the glass artist René Lalique's hood

23. Fernand Léger, "Que signifie: être témoin de son temps?", *Arts*, n° 205, 11 mars 1949, p. 1.

24. Fernand Léger, "L'esthétique de la machine, l'objet fabriqué, l'artisan et l'artiste" (1923-1924), repris dans Fernand Léger, *Fonctions de la peinture*, édition revue et augmentée, établie, présentée et annotée par Sylvie Forestier (Paris: Gallimard, 2004), p. 97. English edition: Fernand Léger, "The Machine Aesthetic: The Manufactured Object, the Artisan, and the Artist," in *Functions of Painting*, The Viking Press, 1973, translated by Alexandra Anderson.

25. Ibid., p. 89.

26. Fernand Léger, "L'esthétique de la machine, l'ordre géométrique et le vrai" (1924), repris dans ibid., p. 103. English edition: Fernand Léger, "The Machine Aesthetic: Geometric Order and Truth," in *Functions of Painting*, The Viking Press, 1973, translated by Alexandra Anderson. The title of Léger's text itself contains the phrase "l'ordre géométrique."

27. Amédée Ozenfant et Charles-Édouard Jeanneret, "Le Purisme," *L'Esprit Nouveau*, n° 4, janvier 1921, pp. 371, 373, 386.

28. Fernand Léger, "À propos de l'élément mécanique" (1923), repris dans *Fonctions de la peinture*, op. cit., p. 83. English edition: Fernand Léger, "Notes on the Mechanical Element," in *Functions of Painting*, The Viking Press, 1973, translated by Alexandra Anderson.

29. Amédée Ozenfant et Charles-Édouard Jeanneret, "Le Purisme," article cité, p. 386.

30. Le Corbusier, *L'art décoratif d'aujourd'hui*, op. cit., p. 81. English edition: *The Decorative Art of Today*, MIT Press, 1987.

ornament (Cat. no. 2-47) had a dynamism of form fitting for the automobile—a symbol of the Machine Age. It stretched the traditional figure of Nike the victory goddess, her wings seemingly swept back behind her.

The Airplane and the Aerial View

Along with the automobile, the airplane was an icon of the Machine Age and interested numerous artists. Upon visiting the Salon de l'Aviation de Paris with Constantin Brancusi and Léger, Marcel Duchamp reportedly said, "Painting is washed up. Who will do anything better than this propeller?"[31] It was after this experience that Duchamp produced *Bicycle Wheel* (1913), considered his first Readymade.

Robert Delaunay was a painter fascinated by aircraft and aerial views; before World War I he had already incorporated airplanes into works such as *The Cardiff Team* (1913) and *Homage to Blériot* (the French aviation pioneer Louis Blériot) (1914, Fig. 7). In the latter work, the mechanical motion of a propeller is visualized, extended, by concentric circles of light and color. [32]

After returning to Paris at the end of the war, Delaunay resumed his *Eiffel Tower* series and in 1922 painted *Eiffel Tower and Gardens, Champ de Mars*[33] (Fig. 8) (In this exhibition the displayed work is a print based on the painting [Cat. no. 2-09]). As for the oil painting, it was based on a photograph by André Schelcher (Fig. 9) that Delaunay saw at the first Salon de l'Aviation de Paris in 1909. The photograph represented the Eiffel Tower as well as the Parc du Champ-de-Mars, both seen from an airship passing 50 meters above the tower's summit. It was shot in a "vertical perspective looking downward". This photograph was not only published in the *Comœdia* newspaper and *L'Illustration* magazine but also appeared on the cover of Le Corbusier's *L'art décoratif d'aujourd'hui* [The Decorative Art of Today] (1925). It is a groundbreaking image that impressively shows how aerial views transformed visual and spatial perception.

Later Robert Delaunay worked with Sonia Delaunay on the design of the Pavilion de l'Aéronautique at the 1937 Paris World Fair.

The Doll and the Object

Other icons of the Machine Age were Automatons and humanoid robots, embodiments of the concept of "man as machine." A cinematographic "incarnation" is the robot Maria in Fritz Lang's *Metropolis*. In the field of painting, Giorgio de Chirico's *Hector and Andromache* (Cat. no. 3-16) is thematically centered on the parting of Hector and Andromache. In strong or even shocking contrast to the pathos of the scene in Homer's *Iliad*, the painting shows the couple as mannequins.

Surrealism, less overtly concerned with machine aesthetics than Dada, nonetheless had a common interest with this movement: an interest in eroticism, even if the erotic seemed to manifest itself in machines. Hans Bellmer's ball-jointed dolls (Cat. no. 3-22), dismantled and reassembled, are situated on the boundary between human and machine, animate and inanimate, evoking Freud's concept of "*das Unheimliche* (the Uncanny)"[34].

In Surrealist works, including Bellmer's dolls, the *objets* (art objects) favored the uncanny embrace of the mechanical. Particularly prominent in the 1930s were such *objets* occupying an ambiguous zone in the immediate neighborhood of sculpture.[35] In 1936, a series of sculpture-like *objets*, called "mathematical objects" (Cat. nos. 3-04, 3-05,

31. Marcel Duchamp, *Duchamp du signe. Écrits*, réunis et présentés par Michel Sanouillet, nouvelle édition revue et augmentée avec la collaboration de Elmer Peterson (Paris: Flammarion, 1994), p. 242. English edition: Marcel Duchamp, *The Writings of Marcel Duchamp*, ed. Michel Sanouillet and Elmer Peterson, Oxford University Press, 1973.

32. With regard to Delaunay's *Homage to Blériot*, cf. Pascal Rousseau, "La construction du simultané. Robert Delaunay et l'aéronautique," *Revue de l'art*, n° 113, octobre 1996, pp. 19-31.

33. With regard to Delaunay's *Eiffel Tower and Gardens, Champ de Mars*, cf. Komoto Mari, "Sora kara mita Paris: 20 seiki no sekai fukei [Weltlandschaft] to taisen [Grande Guerre]" [Paris Seen from the Air: 20th Century World Landscape and the Great War], in Amano Chika, ed., *Paris II: kindai no sokoku* [Paris II: Modern Conflicts] (*Seiyo kindai no toshi to geijutsu 3* [Cities and Art in the Modern West vol. 3], Chikurin-sha, 2015, pp. 128-151.

34. With regard to Bellmer's dolls in relation to Freud's concept of "the Uncanny," cf. Rosalind Krauss, "Corpus Delecti," *October*, no. 33, Summer 1985, pp. 31-72; Hal Foster, *Compulsive Beauty* (Cambridge and London: The MIT Press, 1993); Therese Lichtenstein, *Behind Closed Doors: The Art of Hans Bellmer* (Berkeley, Los Angeles and London: University of California Press, 2001); Fabrice Flahutez, "Hans Bellmer et le Japon," in Amano Chika et Komoto Mari, dir., *Les années surréalistes – « La beauté convulsive » au-delà des frontières* [édition bilingue japonaise-française], Actes du Colloque international tenu à Tokyo le 22 novembre 2009, Tokyo, Société franco-japonaise d'Art et d'Archéologie, 2012, pp. 110-117.

3-06, 3-07) was on display at the Institut Henri Poincaré. Max Ernst and Man Ray were fascinated by them. The same year, the *Exposition Surréaliste d'Objets*, held at the Galerie Charles Ratton in Paris, included some of these "mathematical objects." They appealed to the Surrealists for whom "the object's conventional [or functional] value then was entirely subordinate [...] to its dramatic value."[36] Man Ray's *The Gift* (Cat. no. 3-03), a clothes iron with nails attached to its sole, is a quintessential example. The poet Paul Éluard evocatively used the phrase "physics of poetry"[37] to describe such objects.

The Machine Age in Japan

What was the situation in Japan during these years? The country experienced its own devastation and subsequent reconstruction with the Great Kanto Earthquake of 1923, which marked a turning point in its history. Modernization and mechanization advanced rapidly during the post-disaster rebuilding, ushering in the Machine Age in Japan.

Here it should be noted that in Japanese, the term *modan* (modern) refers to a certain historical period almost between 1910 and 1939, with the Great Kanto Earthquake falling in the middle of this era[38]. It is rarely used in its original primary sense of "contemporary" or "current." In Japan, the word "modern" is closely linked to this specific period when modernization was for the first time within the reach of the public[39].

In 1923, returning from studies in Germany, Murayama Tomoyoshi formed the avant-garde art group Mavo. The following year, he published an article titled "Incorporation of Mechanical Elements Into Art"[40] in *Mizue* magazine. At the beginning of his article, Murayama stated, "Among the most notable phenomena in the recent plastic arts is the discovery of the appeal of mechanical elements."[41] Mentioning the names of Léger and Prampolini (though not of Le Corbusier), he noted the permeation of mechanical elements into European art. A stage set created by Murayama, featured on the cover of the fifth issue of *Mavo* magazine (Cat. no. D-4-05), is reminiscent of Liubov Popova's constructivist, mechanical stage sets (Fig. 10; They were produced for the 1922 *The Magnanimous Cuckold* directed by Vsevolod Meyerhold in Russia), illustrating Murayama's engagement with machine aesthetics in both theory and practice.

The art historian and critic Itagaki Takao published *Interchange Between Machines and Art*[42] (Cat. no. D-4-08) in 1929, assessing "the characteristics of the art of today with the premise of 'mechanized civilization' as a definitive medium."[43] Itagaki was not only familiar with the theories of Le Corbusier through German and French magazines of the time, but had knowledge of paintings representing mechanized civilization (such as locomotives, factories, railway stations, iron bridge, etc). Having considered works by J.M.W. Turner, Adolph von Menzel, Claude Monet (Cat. no. 1-06), Delaunay, and Max Beckmann, as well as Léger's film *Ballet Mécanique*, he was able to adopt a broad perspective, developing his own theory of machine art. A *Bauhausbuch*-inspired design and extensive inclusion of illustrations in the book reflect the considerable scope of Itagaki's ambition. He states, "probably the most suitable visual arts for representing the mechanical environment are architecture, crafts, and film."[44] Compared to them, painting seemed at a disadvantage because it "cannot convey the functioning of machines."[45] Itagaki emphasized that while machines were becoming more artistic, crafts were becoming more mechanized.

In Japan too, theories of machine aesthetics were established and works of art were produced which reflected these aesthetics. The painter Sakata Kazuo, who studied under Léger in France, combined the Dadaist machine aesthetics of Picabia (in close-ups of machinery) with the mechanical elements and compositions of Léger.[46] In *Composition* (Cat.

35. With regard to the object in the interwar years, cf. Hoshino Moriyuki, "'Yaban no shinajina' to 'objet' no 30 nendai o megutte" [On "Barbaric Objects" and "Art Objects" in the 1930s], in Suzuki Masao and Majima Ichiro, ed., *Bunka kaitai no sozoryoku: Surrealism to jinruigaku shiko no kindai* [Imagining the Disconstructing of Culture: Surrealism and Anthropological Thought in the Modern Era], Jimbun Shoin, 2000, pp. 432-454; Komoto Mari, "Objet no chohatsu: Surrealism / Primitivism / taishu bunka ga kosaku suru ba" [The Defiance of Surrealist Objects: At the Intersections of Primitivism and Popular Culture], in Sawada Nao, ed., *Ibo no Paris 1919-1939: Surrealism, kokujin bunka, taishu bunka* [The Changing Face of Paris 1919-1939: Surrealism, Black Culture, Popular Culture], Suisei-sha, 2017, pp. 151-169; and others.

36. André Breton, "Crise de l'objet," *Cahiers d'art*, nᵒˢ 1-2, 1936, p. 24. English edition: Andre Breton, "Crisis of the Object," (1936), in *Surrealism and Painting*, translated by Simon Watson Taylor, Boston, Museum of Fine Arts Publishers, 2002, p. 279.

37. Ibid., p. 22.

38. Yamamuro Shin'ichi, *Modern go no sekai e: ryukogo de saguru kingendai* [Into the World of Modern Language: Exploring the Modern and Contemporary Through Buzzwords], Iwanami Shoten, 2021.

39. I would like to express my sincere gratitude to Dr. Yamamuro Shin'ichi, Professor Emeritus, Kyoto University, for his precious advices.

40. Murayama Tomoyoshi, "Kikaiteki yoso no geijutsu e no donyu" [Incorporation of Mechanical Elements Into Art], *Mizue* no. 227, January 1924, pp. 6-10.

41. Ibid., p. 6.

42. Itagaki Takao, *Kikai to geijutsu to no koryu* [Interchange Between Machines and Art], Iwanami Shoten, 1929.

43. Ibid., p. 40.

44. Ibid., p. 91.

45. Ibid., p. 86.

no. 4-39), he reconfigured fragments (cross-sections) of mannequins.

As a member of the committee of the Shuto Bijutsuten (Capital Art Exhibition), the artist Kawabe Masahisa was one of the first to advocate the concept of "Mechanism" in the context of new art movements of the Taisho era (1912-1926). His oil painting titled *Mechanism* (Cat. no. 4-38) shows a head in profile with eyes closed, anatomical drawings of a neck and a hand, as well as reproductions of mechanical parts and a fragment of the map, these elements forming a real collage. The entire composition is unified by a complex arrangement of horizontal and vertical pipe-like forms. Kawabe was a medical student in dentistry, and this is reflected in the anatomical diagrams and mechanical parts resembling medical instruments, as well as in aspects such as the upward tilt of the head during dental treatment.[47] A piece of paper pasted on the upper left of the canvas, printed with the words "L'ESPRIT NOUVEAU," was clipped from the cover of that magazine run by Le Corbusier and others. Paying tribute to *l'esprit nouveau* ("the new spirit"), Kawabe's work shows a closer formal affinity to Dada's machine aesthetics than to Purism.[48] In the vein of the Berlin Dadaist Raoul Hausmann's photomontage *Tatlin Lives at Home* (Fig. 11), Kawabe's *Mechanism* reveals that the techniques of collage and montage can be considered as entering into a mechanical process.[49] This work demonstrates one of the ways in which Japanese machine aesthetics of the time were in step with multiple contemporary European movements.

The designer Sugiura Hisui, who had studied in Europe, consciously employed the "eye of the camera," i.e. the "eye of the machine," when depicting the modern city of Tokyo in posters and other media. He favored sweeping views from above (as in *Shinjuku Mitsukoshi completed, opens October 1* [Cat. no. 4-03]) or from below (*Ueno Subway Store* [Cat. no. 4-04]) This approach to photography based on new visual perception, had originated in Europe in the 1920s and was to spread worldwide. Sugiura was one of the creator who adopted the "New Vision" as it was termed.

The Post-Machine Age: The Rise of AI

Our current era, a century after the Machine Age, is often described as the Fourth Industrial Revolution or as the third wave of artificial intelligence (AI). Machines permeate every aspect of our lives by digitization, and the machine art of the future is likely to become even more immaterial. When representing visible machinery, such as gears or robots, contemporary art often revisits and reinterprets films such as *Modern Times* and *Metropolis* (as in Monir Fatmi's *Modern Times, A History of the Machine* [Cat. no. 5-01] and Sorayama Hajime's *Untitled* [Cat. no. 5-02]).

What distinguishes the current AI era from the Machine Age is not only by the way it *represents* machines, but also the emergence of AI-generated art *created by* machines. The traditional assumption that the creator of art is a human being is now called into question. How art will transform itself reexamining its fundamental definitions and possibilities, is an open question. As we rethink the complex relationship between machines and human beings, as well as their future evolution, the present exhibition of art and design in the interwar period will surely be considered as a milestone.

46. Sakata Kazuo wrote: "the impressive impact of Picabia's Dada works, and my subsequent decision to study under the gruff Léger of all people, in part reflected such demands of the intellect... The sound of a motorized jack crawling overhead, like the sound of a saw rotating in a sawmill, is a pleasure to me" (draft of unpublished manuscript) (*Sakata Kazuo ten: zenei seishin no kiseki* [Sakata Kazuo: Arc of the Avant-Garde Spirit] exh. cat., Okayama Prefectural Museum of Art, 2007, p. 173).
47. Omuka Toshiharu, "Mechanism to modernism: Taisho ki shinko bijutsu undo kara Showa shoki no modernism e (sono 1)" [From Mechanism to Modernism: From New Art Movements of the Taisho Era to Modernism of the Early Showa Era (1)], *Geiso,* no. 10, 1993, p. 124.
48. Ibid., p. 125.
49. Ibid.

CHAPTER 1

Man and Machine:
Modernist Utopianism

In France, modernization progressed swiftly from 1850 onward. A national railway network was laid down, and people's lifestyles changed significantly with new options such as weekend leisure outings on steam-powered trains. By the end of the 19th century the development of heavy industry powered by fossil fuels, known as the Second Industrial Revolution, enabled France to grow as a modern nation. However, rapid industrial and economic development heightened international tensions, and this contributed to the 1914 outbreak of World War I, the first large-scale war fought with modern weapons in human history. The Great War, as it was called at the time, radically changed relationships between people and machines. The postwar years saw the proliferation of machines that dwarfed human power, such as automobiles and airplanes, heralding the dawn of a new era when such symbols of the coming "Machine Age" were glorified and decorations that emulated industrial products and skyscrapers were prized. In the US, which experienced dramatic growth as an industrial powerhouse during World War I, the term "industrial design" was coined around 1919, and mass-produced items became increasingly compact and refined in form. Even in France, which retained a strong tradition of artisanal craftsmanship, the automaker Citroën established an automated car factory in 1922 (Fig.1), looking to the rationalized American-style mass-production system as a guide. Nations striving to recover from wartime devastation entrusted their visions of an ideal future to machines as they sought to surpass the societies and economies of prewar times.

Artists were also inspired by the power and speed that machines made possible. Fernand Léger was fascinated by cannons and aircraft he witnessed during World War I, and shifted from painting in a Cubist style to producing compositions depicting metallic parts. Robert Delaunay, who devised his own theory of color, incorporated spinning motion reminiscent of airplane propellers and Ferris wheels, creating vibrant works that appear to rotate. In Germany the Bauhaus, founded in 1919, reorganized in 1923 with the slogan "Art and technology – a new unity," inviting artists such as Wassily Kandinsky and László Moholy-Nagy to teach, and moving forward with design research. The school's achievements were a foundational influence on modern design worldwide.

But was this Machine Age, marked by the pursuit of convenience and wealth, truly an ideal future? At the end of the Roaring Twenties, times of great prosperity especially in countries that were victorious in World War I, a massive stock market crash in New York in 1929 triggered the Great Depression, sparking a chain reaction that plunged countries around the world into economic crisis. The effects of the Depression spread to Europe in the early 1930s, and Italy and Germany turned toward fascism. The Depression poured cold water on utopian visions of a mechanized future, and in 1936, the American film *Modern Times* (written, directed by and starring Charlie Chaplin) painted a cynical picture of human beings literally swallowed up by the modern factory system. The rise of machines in the early 20th century certainly brought convenience and economic prosperity, but it also induced anxieties about losing our intrinsic humanity in the pursuit of rationality and having the machines become our masters. [pp.22-23]

CHAPTER 2

Graceful Machines:
Art Deco and the Dream of the World's Fair

The International Exhibition of Modern Decorative and Industrial Arts (commonly called the Art Deco Exposition) was held in Paris in 1925 (Fig.1). Myriad pavilions of various sizes spanned a huge area extending from the Grand Palais, built for the 1900 Universal Exposition, across the Pont Alexandre III bridge to the Hôtel des Invalides. In contrast to the flowing, organic forms of Art Nouveau that had been popular around 1900, the 1925 exposition was marked by geometric architecture and decorative arts. This style later became known as Art Deco, after the exposition's nickname, and was recognized as the iconic style of the 1920s. However, it is not easy to encapsulate the tendencies signified by the term "Art Deco." As in the case of the Art Deco Exposition, art and design were propelled by purveyors of consumer trends that changed with the seasons, such as department stores and fashion brands. The exhibits at the fair were truly diverse, ranging from conservative pavilions for the affluent to avant-garde creations marked by an inorganic decorative style. Emerging during the glamorous era known as *Les années folles* (lit. "the crazy years") in France, or the Roaring Twenties in the Anglophone world, a period of prosperity following post-World War I reconstruction, Art Deco was not a consistent style with well-defined formal characteristics. It was more of a trend that grew out of commercial strategies, with overlapping elements of modern art, classicism, and exoticism.

To be sure, the 1910s saw a concerted movement to apply geometrically simplified forms like those of Cubism to decorative arts, influenced by the *Gesamtukunstwerk* ("total work of art") concept adopted by the Wiener Werkstätte in Vienna. However, modernism essentially pursued rationality, meaning that decoration and ornamentation in architecture and everyday items were considered superfluous and incidental. Under the modern design principle that "form follows function," geometric decoration with no practical purpose was seen as making a mere pretense at functionality. Le Corbusier, who famously said that "a house is a machine for living in," criticized Art Deco for not adhering to this standard, and expressed his principles by deliberately presenting a pavilion devoid of decoration, the Pavillon de l'Esprit Nouveau (lit. "Pavilion of the New Spirit") at the Art Deco Exposition.

Parisians were also captivated by the exoticism of so-called "primitive" cultures of Africa and Asia, introduced in Paris via colonialism. In the 1910s, exotic illustrations by fashion designer Paul Poiret and illustrator George Barbier showcased an Orientalist sensibility, and the 1922 discovery of Tutankhamun's tomb in Egypt sparked a craze for all things Egyptian, including a large number of newly created perfume bottles with ancient Egyptian motifs. In 1925, the African-American singer Josephine Baker moved to Paris and caused a sensation with her performances, dancing on stage in a skirt of bananas and simulating the movements of native Africans. This thirst for the exotic culminated in 1931 with the Paris Colonial Exposition, which was planned concurrently with the Art Deco Exposition but held years later. As various factors converged, the popular conception of decoration in architecture, interiors, and furnishings evolved into something more in harmony with the mechanical, and gleaming new machines such as automobiles, trains, and ocean liners were ornamented with geometric forms. The geometric Art Deco style appearing at the 1925 exposition was an idealized formal language created by people living through the Roaring Twenties and dreaming of a bright future.
[pp.64-65]

CHAPTER 3

Meaningless Machines:
Dada and Surrealism

Technological progress also sparked resistance to modernization in Western cities, in the form of art movements in Zurich, Köln, Paris and New York. Artists who had fled the turmoil of World War I to Zurich in the neutral country of Switzerland began, around 1916, to radically reject existing value systems and the conventional art world. In multiple cities this erupted as a movement with "anti-art" traits, which the poet Tristan Tzara dubbed "Dada" after encountering the word by chance. The practices of Dadaists varied by location. In Köln, Max Ernst created collages, cutting images from publications and reassembling them to produce unpredictable sensations of dépaysement (displacement). In New York, the French émigré Marcel Duchamp met the photographer Man Ray, and both created new works unconstrained by traditional aesthetic values, including Readymades (ready-made objects).

André Breton, who led the Dada movement in Paris, was

influenced by the theories of psychoanalyst Sigmund Freud and focused on the unconscious lurking beneath the conscious mind, bringing about new developments in a movement opposed to conventional aesthetics. He championed the concept of automatism, i.e. practices that revealed the unconscious through chance, and in 1924 he published the Surrealist Manifesto and founded Surrealism, an art movement pursuing the "surreal" (lit. "above reality") that could not be accessed through reason. In 1925, he published the treatise "Surrealist Painting" in the journal La Révolution surréaliste, marking the movement's first substantial foray into the visual arts. Max Ernst and Man Ray joined, and Surrealism became a significant force in the late 1920s. Its activities went beyond artistic endeavors and extended to social change. In 1931 the Surrealists launched a campaign against the Paris Colonial Exposition, criticizing French colonialism and Eurocentrism for perpetuating prejudice by treating non-Western cultures and peoples like sideshow spectacles.

An important aspect of the Surrealists' activities was the production of objets (art objects) consisting of everyday items and things found at flea markets. Unlike traditional sculptural explorations of form, objets stripped functionality from existing things and combined them with others to project the creator's psychological workings and replace original meanings with others. Man Ray not only made photographic works but also created poetic objets, combining images and physical items in plays on words that extended to the works' titles. At the height of the Machine Age after World War I, the objets of Dada and Surrealism could be described as "meaningless machines" deprived of their functions.

Surrealists also transformed the body by fragmenting it and detaching it from its original functions, altering it in the manner of an objet and enabling the artist to endow it with unique meanings. Giorgio de Chirico, who inspired the Surrealists, painted figures composed of geometric shapes that resembled inorganic mannequins. Salvador Dali wove multiple meanings into depictions of female figures transfigured within illusionary double images. And the grotesque sensations evoked by Hans Bellmer's photographs of the dolls he created may stem from instinctual horror of the body reduced to an object in the Machine Age.
[pp.108-109]

CHAPTER 4

Modern Japan:
Reception and Application of Art Deco and
Machine Aesthetics

In the 1920s and 1930s, when machines were celebrated as symbols of a new era in the West and the Art Deco style was at its peak, many traveled from Japan to France and Germany. They returned having absorbed the latest design and art theories abroad, and contributed to the flourishing of modern design and avant-garde art in Japan from the late Taisho (1912-1926) to the early Showa (1926-1989) eras.

In fact, quite a few Japanese people visited the Art Deco Exposition in 1925, and among them, Prince Takahiko and Princess Kikuko Asakanomiya were captivated by the decorative styles they observed in France and subsequently built a remarkable Art Deco-style residence in Japan (Figs.1, 2). The metal artisan Tsuda Shinobu, who also visited the Art Deco Exposition, communicated new overseas trends to young artisans after his return, leading to the formation of the craft group Mukei whose works were characterized by geometric forms (Fig.3). As Art Deco reached faraway Japan, it prompted artists to ponder relationships between function and decoration, fine art and crafts, and commercial art and design.

After challenging times such as the Great Kanto Earthquake of 1923 and the demise of Emperor Taisho in late 1926, Japan saw a rapid push for modernization around 1928, particularly in major cities like Tokyo and Osaka. The urbanization of Tokyo, with its concrete buildings, steel bridges, department stores, and subways, was embodied in the work of modernist Japanese design pioneer Sugiura Hisui, who deployed bright colors in bold compositions influenced by Art Deco. Already famous as a designer for the Mitsukoshi department store, Hisui fulfilled a long-held wish in 1922 by going to study in Europe, visiting France at the height of Art Deco's popularity and also staying in Germany and Belgium. After returning to Japan, he shifted from his previously delicate and graceful style toward clear and powerful designs for department store magazines and subway posters that symbolized the new urbanity. He contributed greatly to the development of advertising art and typography in Japan thereafter.

While Hisui's designs added splashes of cheerful dynamism to cities, this era also saw the emergence of unique avant-garde artists such as Koga Harue, who was influenced by Fernand Léger, and Nakahara Minoru and Kawabe Masahisa, who were enchanted by the latest scientific advances and the beauty of machines. New duplicative mass media such as printing and photography came into the spotlight, and the art historian Itagaki Takao enthusiastically discussed machine aesthetics and the relationship between the mechanical and art. This discourse led artists such as Eikyu to make active use of printed matter in Surrealist-style collages. In the paintings of Koga and Kawabe, where flesh-and-blood humans coexist with machines and robots, one senses not only the exhilaration of a new era but also an ominous ambience hinting at the economic depression and social unrest to come.
[pp.136-137]

EPILOGUE

21st Century "Modern Times"

In 1959 the invention of the integrated circuit, which bundled electronic circuitry onto a single chip, led mechanical control systems to become electronic and miniaturized, heralding the end of the age of analog machines controlled by gears and springs. After the development of computers in the 1970s and the advent of the Windows 95 operating system in 1995, digital technology rapidly transformed industry and daily life as the internet became ubiquitous. Advances in semiconductors gave rise to the smartphone, a machine that is both a computer and a communication device and has become indispensable in our daily lives in the early 21st century. In 2023, the development of generative AI (artificial intelligence) has been accelerating, and it has begun to be applied in creative and service industries. It appears likely that the "singularity" (a technological tipping point where technology such as AI surpasses human intelligence) will arrive in the near future. In 1936, Charles Chaplin satirized the Machine Age in *Modern Times*, a film in which the protagonist is literally swallowed up by a large piece of factory equipment. Today, it seems we are once again starting to be consumed by machines such as computers, smartphones, and generative AI. Much like people of the Machine Age about a century ago, while we harbor high hopes for the convenience that technology offers, anxiety about being overpowered by machines that greatly surpass our own abilities is emerging as an urgent issue. This exhibition features three contemporary artists whose works deal with themes of advancing modernization, the corporeality of robots, and digital visuality. Mounir Fatmi (b. 1970), from Morocco and based in Paris, produced the video *Modern Times, a History of the Machine* in which he turns quotations from the Quran into cogs of a gigantic machine, addressing the theme of modernization in the Arab world. He implies that despite adherence to traditions, machines and the current zeitgeist are enveloping the entire world. Hajime Sorayama (b. 1947), an illustrator known for sensual robotic imagery, has in recent years been creating sculptures in which humanoid robots seem to float freely like spacewalkers inside mirrored compartments, appearing to be imbued with life. Rafael Rozendaal (b. 1980), who produces online NFTs (non-fungible tokens, i.e. one-of-a-kind digital artworks) that question the boundary between digitized visuals on electronic monitors and physical vision, presents a lenticular work made by processing optical lenses. A century after the 1920s, machines continue to instill us with both hope and unease. What can we create in this new Machine Age? In the near future, generative AI's production of numerous works of art may become commonplace. The dawn of this AI era is surely a fitting time to re-examine relationships between machines and humankind.
[pp.178-179]

出品作品リスト | List of Works

CHAPTER 1

1-01
蒸気機関模型
エリオット・ブラザーズ社 1870年代
真鍮、鉄、木製台座
H30.0×W154.0×D60.0cm
東京大学総合研究博物館

Steam Engine Model
Elliott Brothers Ltd. 1870s
Brass, iron, wooden base
H30.0×W154.0×D60.0cm
The University Museum, the University of Tokyo

1-02
機構模型「ラチェット」
真鍮、鉄、木製台座
H30.0×W24.5×D23.5cm
東京大学総合研究博物館

Mechanical Model "Rachet"
Brass, iron, wooden base
H31.0×W24.5×D23.5cm
The University Museum, the University of Tokyo

1-03
機構模型「ウォーム歯車機構」
グスタフ・フォークト社
真鍮、鉄、木製台座
H31.0×W24.7×D15.0cm
東京大学総合研究博物館

Mechanical Model
"Worm Wheel Mechanism"
Gustav Voigt Co.
Brass, iron, wooden base
H31.5×W24.5×D15.0cm
The University Museum, the University of Tokyo

1-04
機構模型「歯車を用いた往復運動機構」
真鍮、鉄、木製台座
H26.5×W20.2×D8.8cm
東京大学総合研究博物館

Mechanical Model "Reciprocating Motion
Mechanism using a Gear"
Brass, iron, wooden base
H26.5×W20.2×D8.8cm
The University Museum, the University of Tokyo

1-05
機構模型「差動歯車機構」
真鍮、鉄、木製台座
H24.0×W40.0×D30.0cm
東京大学総合研究博物館

Mechanical Model "Differential Gear"
Brass, iron, wooden base
H24.0×W40.0×D30.0cm
The University Museum, the University of Tokyo

1-06
クロード・モネ
サン=ラザール駅の線路
1877年
油彩／カンヴァス
H60.5×W81.1cm
ポーラ美術館

Claude Monet
Train Tracks at the Saint-Lazare Station
1877
Oil on canvas
H60.5×W81.1cm
Pola Museum of Art

1-07
キスリング
風景、パリーニース間の汽車
1926年
油彩／カンヴァス
H80.7×W100.2cm
ポーラ美術館

Kisling
Landscape, Train Paris-Nice
1926
Oil on canvas
H80.7×W100.2cm
Pola Museum of Art

1-08
チャールズ・チャップリン監督
映画「モダン・タイムス」
1936年
白黒

Charles Chaplin (Director)
Modern Times
1936　Black and white

1-09
エットーレ・ブガッティ
ブガッティ タイプ52（ベイビー）
ブガッティ社　1920年代後半から1930年代前半
H55.0×W73.0×D198.0cm
トヨタ博物館

Ettore Bugatti
Bugatti Type 52 (Baby)
Bugatti　Late 1920s - Early 1930s
H55.0×W73.0×D198.0cm
Toyota Automobile Museum

1-10
航空機用星形エンジン（80馬力モデル9C）
W.ベルウィック社（ル・ローン社のライセンス）1920年代
φ96.0, D80.0cm
株式会社青島文化教材社

Rotary Aircraft Engine (80 hp Model 9C)
W. Berwick (Le Rhône Licenced)　1920s
φ96.0, D80.0cm
Aoshima Bunka Kyozai Co., Ltd.

1-11
航空機用プロペラ
H24.5×W256.0cm
株式会社青島文化教材社

Aircraft Propeller
H24.5×W256.0cm
Aoshima Bunka Kyozai Co., Ltd.

1-12
航空機用計器類
株式会社青島文化教材社

Aircraft instruments
Aoshima Bunka Kyozai Co., Ltd

1-13
蓄音機（H.M.V. リュミエール460卓上型）
グラモフォン社　1924-1925年
H27.7×W44.0×D57.2cm
振動板 Diam.36.0cm
東京大学総合研究博物館

Gramophone (H.M.V. Lumiere Table Model 460)
The Gramophone Co.　1924-1925
H27.7×W44.0×D57.2cm
Diaphragm Diam.36.0cm
The University Museum, the University of Tokyo

1-14
蓄音機（H.M.V. 32型）
グラモフォン社　1927年
H16.4×W40.0×D45.5cm
ホーン Diam.58.0cm
東京大学総合研究博物館

Gramophone(H.M.V. Model 32)
The Gramophone Co.　1927
H16.4×W40.0×D45.5cm
Horn Diam.58.0cm
The University Museum, the University of Tokyo

1-15
蓄音機（ポケット・フォノグラフ）
ミッキーフォン　1924年
Diam.11.5cm×H4.7cm
東京大学総合研究博物館

Gramophone (Pocket Phonograph)
Mikiphone　1924
Diam.11.5cm×H4.7cm
The University Museum, the University of Tokyo

1-16
アレクシス・コウ
ポスター「オッチキス」
1925年
リトグラフ／紙
H72.5×W55.0cm
トヨタ博物館

Alexis Kow
Poster "Hotchkiss"
1925
Lithograph on paper
H72.5×W55.0cm
Toyota Automobile Museum

1-17
ルネ・ヴァンサン
ポスター「サルムソン 10HP」
サルムソン社　1925年頃
リトグラフ／紙
H155.6×W114.9cm
トヨタ博物館

René Vincent
Poster "Salmson 10HP"
Salmson　ca. 1925
Lithograph on paper
H155.6×W114.9cm
Toyota Automobile Museum

1-18
シャルル・ルーポ
ポスター「プジョー自動車」
プジョー社　1926年
リトグラフ／紙
H117.5×W156.2cm
京都工芸繊維大学美術工芸資料館
Charles Loupot
Poster "Peugeot"
Peugeot　1926
Lithograph on paper
H117.5×W156.2cm
Museum and Archives, Kyoto Institute of
Technology
AN.2679-17

1-19
ルネ・ヴァンサン
ポスター「エナゴール オイル」
エナゴール社　1930年
リトグラフ／紙
H119.4×W79.7cm
トヨタ博物館
René Vincent
Poster "Energol Oil"
1930
Lithograph on paper
H119.4×W79.7cm
Toyota Automobile Museum

1-20
A.M. カッサンドル
ポスター「トリプレックス」
1931年
リトグラフ／紙
H129.5×W88.5×D5.0 cm（額寸）
トヨタ博物館
A. M. Cassandre
Poster "Triplex"
1931
Lithograph on paper
H129.5×W88.5×D5.0cm (frame size)
Toyota Automobile Museum

1-21
コンスタンティン・ブランクーシ
空間の鳥
1926年（1982年鋳造）
研磨したブロンズ、大理石・石製台座
284.2cm（ブロンズ135.0cm、台座149.2cm）
滋賀県立美術館
Constantin Brancusi
Bird in Space
1926 (cast 1982)
Polished bronze, marble and stone base
284.2cm(Bronze: 135.0cm, Base: 149.2cm)
Shiga Museum of Art

1-22
フェルナン・レジェ
鏡を持つ女性
1920年
油彩／カンヴァス
H55.6×W38.7cm
ポーラ美術館

Fernand Léger
Woman at the Mirror
1920
Oil on canvas
H55.6×W38.7cm
Pola Museum of Art

1-23
フェルナン・レジェ
女と花
1926年
油彩／カンヴァス
H130.0×W98.0cm
東京国立近代美術館
Fernand Léger
Woman and Flower
1926
Oil on canvas
H130.0×W98.0cm
The National Museum of Modern Art, Tokyo

1-24
フェルナン・レジェ
青い背景のコンポジション
1930年
油彩／カンヴァス
H92.0×W60.0cm
個人蔵
Fernand Léger
Composition on a Blue Background
1930
Oil on canvas
H92.0×W60.0cm
Private Collection

1-25
フェルナン・レジェ
木の根のあるコンポジション
1934年
油彩／カンヴァス
H54.0×W64.7cm
個人蔵
Fernand Léger
Composition with Root
1934
Oil on canvas
H54.0×W64.7cm
Private Collection

1-26
フェルナン・レジェ
記念碑的構成
1951年
グワッシュ／紙
H52.7×W35.0cm
ヤマザキマザック美術館
Fernand Léger
Monumental Composition
1951
Gouache on paper
H52.7×W35.0cm
The Yamazaki Mazak Museum of Art

1-27
フェルナン・レジェ
《ラ・グランド・パレード》のための習作
1952年
インク／紙
H61.9×W78.6cm
個人蔵
Fernand Léger
Study for La Grande Parade
1952
Ink on paper
H61.9×W78.6cm
Private Collection

1-28
フェルナン・レジェ
サンバ
1953年
油彩／カンヴァス
H47.7×W35.8cm
ヤマザキマザック美術館
Fernand Léger
Cenpa
1953
Oil on canvas
H47.7×W35.8cm
The Yamazaki Mazak Museum of Art

1-29
ロベール・ドローネー
傘をさす女性、またはパリジェンヌ
1913年
油彩／カンヴァス
H123.5×W90.3cm
ポーラ美術館
Robert Delaunay
Woman with Umbrella or La Parisienne
1913
Oil on canvas
H123.5×W90.3cm
Pola Museum of Art

1-30
ロベール・ドローネー
リズム 螺旋
1935年
油彩／カンヴァス
H300.0×W99.5cm
東京国立近代美術館
Robert Delaunay
Rhythm-Spiral
1935
Oil on canvas
H300.0×W99.5cm
The National Museum of Modern Art, Tokyo

1-31
ロベール・ドローネー
『版画集』
1969年（初版1922-1926年）
リトグラフ／紙
1. 空中からの塔のながめ：H64.8×W50.3cm
2. パリの橋とノートルダム寺院：H64.8×W50.3cm
3. 塔と女：H65.3×W50.3cm

4. 塔：H62.3×W44.5cm
5. 聖セヴラン教会：H56.7×W41.9cm
6. モンマルトルの丘とサクレクール寺院：
   H65.4×W50.4cm
7. エトワール広場：H65.3×W50.3cm
8. 街に臨む窓：H55.1×W43.2cm
9. 接吻：H65.3×W50.3cm
福岡市美術館

Robert Delaunay
Portfolio
1969 [Originally published: 1922-1926]
Lithograph on paper
1. Aerial View of the Tower: H64.8×W50.3cm
2. Bridges in Paris and Notre-Dame:
   H64.8×W50.3cm
3. Tower and Woman: H65.3×W50.3cm
4. Tower: H62.3×W44.5cm
5. Saint-Severin Church: H56.7×W41.9cm
6. Montmartre Hill and the Sacre-Coeur Temple:
   H65.4×W50.4cm
7. The Etoile Square: H65.3×W50.3cm
8. Window Overlooking the Town: H55.1×W43.2cm
9. An Embrace: H65.3×W50.3cm
Fukuoka Art Museum

1-32
ワシリー・カンディンスキー
支え無し
1923年
油彩／カンヴァス
H97.3×W93.7cm
ポーラ美術館

Wassily Kandinsky
Without Support
1923
Oil on canvas
H97.3×W93.7cm
Pola Museum of Art

1-33
ワシリー・カンディンスキー
複数のなかのひとつの像
1939年
油彩／カンヴァス
H89.4×W116.4cm
ポーラ美術館

Wassily Kandinsky
One Figure among Others
1939
Oil on canvas
H89.4×W116.4cm
Pola Museum of Art

1-34
モホイ=ナジ・ラースロー
フォトグラム
1925-1928年（1929年頃プリント）
ゼラチン・シルバー・プリント
H40.0×W30.2cm
個人蔵

Moholy-Nagy László
Fotogram
1925-1928 (printed ca.1929)
Gelatin silver print
H40.0×W30.2cm
Private Collection

CHAPTER 2

2-01
ロベール・ボンフィス
ポスター「PARIS-1925 アール・デコ博」
1925年
リトグラフ／紙
H96.9×W62.0cm
京都工芸繊維大学美術工芸資料館

Robert Bonfils
Poster "PARIS-1925 / Exposition
Internationale des Arts Décoratifs et
Industriels Modernes"
1925
Lithograph on paper
H96.9×W62.0cm
Museum and Archives, Kyoto Institute of
Technology
AN.2694-43

2-02
ルネ・ラリック
泉の精 ガラテ
1924年
ガラス
H57.0×W20.2×D15.3cm（台座含む）
箱根ラリック美術館

René Lalique
Galatea
1924
Glass
H57.0×W20.2×D15.3cm (including base)
Lalique Museum, Hakone

2-03
『フランス大使館パヴィリオン』
1925年
各H25.0×W32.0cm
東京都庭園美術館

Pavillion de l'Ambassade française
1925
Each H25.0×W32.0cm
Tokyo Metropolitan Teien Art Museum

2-04
マリー・ローランサン
黄色いスカーフ
1928年頃
油彩／カンヴァス
H73.3×W54.6cm
ポーラ美術館

Marie Laurencin
Yellow Scarf
ca. 1928
Oil on canvas
H73.3×W54.6cm
Pola Museum of Art

2-05
マリー・ローランサン
ヴァランティーヌ・テシエの肖像
1933年
油彩／カンヴァス
H80.9×W64.9cm
ポーラ美術館

Marie Laurencin
Portrait of Valentine Tessier
1933
Oil on canvas
H80.9×W64.9cm
Pola Museum of Art

2-06
『新しい店舗デザイン、ファサードとインテリア』
1929年
33.8×26×2.5cm
東京都庭園美術館

Nouvelles Boutiques Façades et Intérieurs
1929
33.8×26×2.5cm
Tokyo Metropolitan Teien Art Museum

2-07
ソニア・ドローネー
『絵画・オブジェ・同時的テキスタイル・モード』
発行：リブレリー・デザール・デコラティフ、パリ　1925年
ポショワール（ステンシル）／紙
56.0×38.0cm
京都服飾文化研究財団

Sonia Delaunay
Ses peintures, ses objets,
ses tissus simultanés, ses modes
Published by Librairie des Arts Décoratifs, Paris
1925
Pochoir(stencil) on paper
56.0×38.0cm
The Kyoto Costume Institute

2-08
テレーズ・ボニー
写真「ソニア・ドローネーがデザインした衣装に身
を包む女性」
1925年
写真
H22.0×W15.8cm
京都服飾文化研究財団

Thérèse Bonney
Woman wearing the clothes designed by
Sonia Delaunay
1925
Photograph
H22.0×W15.8cm
The Kyoto Costume Institute

2-09
ソニア・ドローネー
版画集『わたし自身と』
1970年
リトグラフ／紙
1: H49.5×W39.8cm, 2: H49.5×W39.6cm,
3: H49.5×W39.8cm, 4: H49.8×W39.6cm,
5: H49.4×W39.6cm, 6: H49.6×W39.9cm,
7: H49.5×W35.8cm, 8: H49.5×W39.7cm,
9: H49.6×W39.8cm, 10: H49.4×W39.7cm
福岡市美術館

Sonia Delaunay
With Myself
1970
Lithograph on paper
1:H49.5×W39.8cm, 2:H49.5×W39.6cm,

3:H49.5×W39.8cm, 4:H49.8×W39.8cm,
5:H49.4×W39.6cm, 6:H49.6×W39.9cm,
7:H49.5×W35.8cm, 8:H49.5×W39.7cm,
9:H49.6×W39.8cm, 10:H49.4×W39.7cm
Fukuoka Art Museum

2-10
ジャン・ドロワ
ポスター「PARIS-1924 第8回パリ・オリンピック大会」
1924年以降
リトグラフ／紙
H116.8×W78.0cm
京都工芸繊維大学美術工芸資料館

Jean Droit
Poster "VIIIe Olympiade / Jeux olympiques
Paris 1924"
after 1924
Lithograph on paper
H116.8×W78.0cm
Museum and Archives, Kyoto Institute of
Technology
AN.2679-22

2-11
オルシ
ポスター「エトワール劇場 ラ・ルビュ・ネーグル」
1925年
リトグラフ／紙
H157.0×W116.0cm
京都工芸繊維大学美術工芸資料館

Orsi
Poster "Théâtre de l'Etoile La Revue
Nègre"
1925
Lithographs on paper
H157.0×W116.0cm
Museum and Archives, Kyoto Institute of
Technology
AN.2679-03

2-12
ジャン・ヴィクトル・ドゥムール
ポスター「1931年パリ万国植民地博覧会」
1931年
リトグラフ／紙
H159.7×W120.6cm
京都工芸繊維大学美術工芸資料館
Jean Victor Demeures
Poster "Exposition coloniale internationale
Paris 1931"
1931
Lithograph on paper
H159.7×W120.6cm
Museum and Archives, Kyoto Institute of
Technology
AN.4230

2-13
A.M. カッサンドル
ポスター「エトワール・デュ・ノール（北極星号）」
1927年
リトグラフ／紙
H106.1×W74.9cm
京都工芸繊維大学美術工芸資料館

A. M. Cassandre
Poster "Etoile du Nord"
1927
H106.1×W74.9cm
Museum and Archives, Kyoto Institute of
Technology
AN.3432

2-14
A.M. カッサンドル
ポスター「ノルマンディー号」
1935年
リトグラフ／紙
H99.6×W62.2cm
京都工芸繊維大学美術工芸資料館

A. M. Cassandre
Poster "Normandie"
1935
Lithograph on paper
H99.6×W62.2cm
Museum and Archives, Kyoto Institute of
Technology
AN.4739

2-15
里見宗次
ポスター「日本国有鉄道」
1937年
リトグラフ／紙
H100.2×W63.7cm
京都工芸繊維大学美術工芸資料館

Satomi Mounet
Poster "Japanese Government Railways"
1937
Lithograph on paper
H100.2×W63.7cm
Museum and Archives, Kyoto Institute of
Technology
AN.4846-1

2-16
ルネ・ラリック
香水瓶「アンブル・アンティーク（古代の琥珀）」
コティ社　1910年原型制作
ガラス
H15.1cm
ポーラ美術館
René Lalique
Perfume Bottle "Ambre Antique"
Coty　Model executed in 1910
Glass
H15.1cm
Pola Museum of Art

2-17
ルネ・ラリック
香水瓶「ナルシス／エレガンス」
ドルセー社　1922年頃原型制作
ガラス
H11.2×W7.1×D2.4cm
ポーラ美術館
René Lalique
Perfume Bottle "Narcisse/Elégance"
D'Orsay　Model executed around 1922
Glass

H11.2×W7.1×D2.4cm
Pola Museum of Art

2-18
ルネ・ラリック
香水瓶「ル・リス（百合）」
ドルセー社　1922年頃原型制作
ガラス
H17.2×W12.4×D4.3cm
ポーラ美術館

René Lalique
Perfume Bottle "Le Lys"
D'Orsay　Model executed around 1922
Glass
H17.2×W12.4×D4.3cm
Pola Museum of Art

2-19
ルネ・ラリック
香水テスター「レ・フルール・ドルセー（オルセーの花）」
ドルセー社　1925年頃原型制作
ガラス
H5.5×W22.0×D4.0cm
ポーラ美術館

René Lalique
Perfume Tester "Les Fleurs d'Orsay"
D'Orsay　Model executed around 1925
Glass
H5.5×W22.0×D4.0cm
Pola Museum of Art

2-20
ルネ・ラリック
香水瓶「ミスティ」[ボトル名：ランティキュレール・
フルール（花文扁豆型）]
L. T. ピヴェール社　1920年頃原型制作
ガラス
Diam.8.0×H.5.0cm
ポーラ美術館

René Lalique
Perfume Bottle "Misti/Lenticulaire Fleurs"
L. T. Piver　Model executed in 1920
Glass
Diam.8.0×H.5.0cm
Pola Museum of Art

2-21
ルネ・ラリック
香水瓶「ミスティ」[ボトル名：ランティキュレール・
フルール（花文扁豆型）]
L. T. ピヴェール社　1920年頃原型制作
ガラス
Diam.8.0cm
ポーラ美術館

René Lalique
Perfume Bottle "Misti/Lenticulaire Fleurs"
L. T. Piver　Model executed around 1920
Glass
Diam.8cm
Pola Museum of Art

212

2-22
ルネ・ラリック
香水瓶「スカラベ」
L. T. ピヴェール社　1922年頃原型制作
ガラス
W6.8×H8.4×D4.5cm
ポーラ美術館
René Lalique
Perfume Bottle "Scarabée"
L. T. Piver　Model executed around 1922
Glass
W6.8×H8.4×D4.5cm
Pola Museum of Art

2-23
香水瓶「ロクロワ／黄金の夢」
L. T. ピヴェール社　1925年
ガラス　（ボトル製作:バカラ社製）
H13.7×W6.5×D3.8cm
ポーラ美術館

Perfume Bottle "Rocroy/Rêve d'Or"
L. T. Piver　1925
Glass (Bottle: Baccarat)
H13.7×W6.5×D3.8cm
Pola Museum of Art

2-24
ルネ・ラリック
香水瓶「ダン・ラ・ニュイ(夜中に)」
ウォルト社　1924年原型制作
ガラス
Diam.5.1cm×H8.0cm
ポーラ美術館

René Lalique
Perfume Bottle "Dans La Nuit"
Worth
Model executed in 1924
Glass
Diam.5.1cm×H8.0cm
Pola Museum of Art

2-25
ルネ・ラリック
香水瓶「ダン・ラ・ニュイ(夜中に)」
ウォルト社　1924年原型制作
ガラス
Diam.7.4cm×H10.4cm
ポーラ美術館
René Lalique
Perfume Bottle "Dans La Nuit"
Worth　Model executed in 1924
Glass
Diam.7.4cm×H10.4cm
Pola Museum of Art

2-26
ルネ・ラリック
香水瓶「ダン・ラ・ニュイ(夜中に)」
ウォルト社　1924年原型制作
ガラス
Diam.17.4×H24.6cm
ポーラ美術館

René Lalique
Perfume Bottle"Dans La Nuit"
Worth　Model executed in 1924
Glass
Diam.17.4×H24.6cm
Pola Museum of Art

2-27
ルネ・ラリック
香水瓶「ダン・ラ・ニュイ(夜中に)」
ウォルト社　1924年原型制作
ガラス
Diam.7.4×H10.4cm
ポーラ美術館

René Lalique
Perfume Bottle "Dans La Nuit"
Worth　Model executed in 1924
Glass
Diam.7.4×H10.4cm
Pola Museum of Art

2-28
ルネ・ラリック
香水瓶「ヴェール・ル・ジュール(夜が明けるまで)」
ウォルト社　1926年
ガラス
H10.8×W7.8×D2.9cm
箱根ラリック美術館

René Lalique
Perfume Bottle "Ver le Jour"
Worth　1926
Glass
H10.8×W7.8×D2.9cm
Lalique Museum, Hakone

2-29
ルネ・ラリック
香水瓶「ヴェール・ル・ジュール(夜が明けるまで)」
ウォルト社　1926年
ガラス
H16.0×W12.0×D4.0cm
箱根ラリック美術館

René Lalique
Perfume Bottle "Ver le Jour"
Worth　1926
Glass
H16.0×W12.0×D4.0cm
Lalique Museum, Hakone

2-30
ルネ・ラリック
香水瓶「ジュ・ルヴィアン(再来)」
ウォルト社　1929年12月2日原型制作
ガラス
Diam.2.5×H7.8cm
ポーラ美術館

René Lalique
Perfume Bottle "Je Reviens"
Worth　Model executed on December 2, 1929
Glass
Diam.2.5×H7.8cm
Pola Museum of Art

2-31
ルネ・ラリック
香水瓶「ジュ・ルヴィアン(再来)」
ウォルト社　1929年12月2日原型制作
ガラス
Diam.8.4×H27.8cm
ポーラ美術館

René Lalique
Perfume Bottle "Je Reviens"
Worth　Model executed on December 2, 1929
Glass
Diam.8.4×H27.8cm
Pola Museum of Art

2-32
マルク・ラリック
香水瓶「ジュ・ルヴィアン(再来)」
ウォルト社　1952年以降
ガラス
H28.0cm
ポーラ美術館

Marc Lalique
Perfume Bottle "Je Reviens"
Worth
After 1952
Glass
H28.0cm
Pola Museum of Art

2-33
ルネ・ラリック
香水瓶「ラ・ベル・セゾン(美しい季節)」
ウビガン社　1925年3月3日原型制作
ガラス
H14.5×W10.0×D4.0cm
ポーラ美術館

René Lalique
Perfume Bottle "La Belle Saison"
Houbigant　Model executed on March 3, 1925
Glass
H14.5×W10.0×D4.0cm
Pola Museum of Art

2-34
ルネ・ラリック
香水瓶「ラ・ベル・セゾン(美しき季節)」
ウビガン社　1925年3月3日原型制作
ガラス
H10.0×W7.0×D3.0cm
ポーラ美術館
René Lalique
Perfume Bottle "La Belle Saison"
Houbigant　Model executed on March 3,1925
Glass
H10.0×W7.0×D3.0cm
Pola Museum of Art

2-35
ルネ・ラリック
香水瓶「リラ」
ウビガン社　1925年8月1日原型制作
ガラス
H7.8cm
ポーラ美術館

René Lalique
Perfume Bottle "Lilas"
Houbigant   Model executed on August 1st,
1925
Glass
H7.8cm
Pola Museum of Art

2-36
ルネ・ラリック
香水瓶「牧神の花束」
ゲラン社　1922年
ガラス
H14.5×W8.6cm
ポーラ美術館

René Lalique
Perfume Bottle "Bouquet de Faune"
Guerlain 1922
Glass
H14.5×W8.6cm
Pola Museum of Art

2-37
香水瓶「シャリマー（愛の館）」
ゲラン社　1924年以降
ガラス　（ボトル製作: ポシェ・デュ・クーヴァル）
H4.8×W4.2×L2.8cm
ポーラ美術館

Perfume Bottle "Shalimar"
Guerlain   after 1924
Glass (Bottle: Pochet du Courval)
H4.8×W4.2×L2.8cm
Pola Museum of Art

2-38
香水瓶「リュ・ド・ラ・ペ（平和通り）」
ゲラン社　1925年
ガラス　（ボトル: バカラ社製）
H4.8×W4.2×L2.8cm
ポーラ美術館

Perfume Bottle "Rue de La Paix"
Guerlain 1925
Glass (Bottle: Baccarat)
H4.8×W4.2×L2.8cm
Pola Museum of Art

2-39
香水瓶「ヴォル・ド・ニュイ（夜間飛行）」
ゲラン社　1955年
ガラス
H6.5×W5.0×L2.5cm
ポーラ美術館

Perfume Bottle "Vol de Nuit"
Guerlain 1955
Glass
H6.5×W5.0×L2.5cm
Pola Museum of Art

2-40
香水瓶「ミラクル（奇跡）」
ランテリック社　1924年
ガラス
H14.5×W11.0×L4.5cm
ポーラ美術館

Perfume Bottle "Miracle"
Lentheric   1924
Glass
H14.5×W11.0×L4.5cm
Pola Museum of Art

2-41
ルネ・ラリック
香水瓶「ナルシス／アルテア（むくげ）」
ロジェ・エ・ガレ社　1912年頃原型制作
ガラス
H10.0cm
ポーラ美術館

René Lalique
Perfume Bottle "Narcisse/Althéa"
Roger et Gallet   Model executed around 1912
Glass
H10.0cm
Pola Museum of Art

2-42
ルネ・ラリック
香水瓶「パクレット（ひな菊）」
ロジェ・エ・ガレ社　1919年頃原型制作
ガラス
H8.0cm
ポーラ美術館

René Lalique
Perfume Bottle "Paquerettes"
Roger et Gallet   Model executed around 1919
Glass
H8.0cm
Pola Museum of Art

2-43
香水瓶「ニュイ・ド・シーヌ（シナの夜）」
ロジーヌ（ポール・ポワレ主宰）社　1913年
ガラス
H11.2×W8.2×D3.3cm
ポーラ文化研究所

Perfume Bottle "Nuit de Chine"
Rosine   1913
Glass
H11.2×W8.2×D3.3cm
POLA Research Institute of Beauty & Culture

2-44
香水瓶「1925」
ロジーヌ（ポール・ポワレ主宰）社　1925年
ガラス
Diam.4.0×H12.2cm（ボトルのみ）、
H21.6cm（タッセル付き）
ポーラ美術館

Perfume Bottle "1925"
Rosine   1925
Glass
Diam.4.0×H12.2cm (Bottle), H21.6cm(with tassel)
Pola Museum of Art

2-45
香水瓶「HIS」
ハウス・フォー・メン
1930年代

ガラスほか
H17.1cm
ポーラ美術館

Perfume Bottle "HIS"
House For Men
1930s
Glass etc.
H17.1cm
Pola Museum of Art

2-46
ルネ・ラリック
カーマスコット「彗星」
1925年
ガラス
H6.5×W9.5×D5.0cm（本体）
箱根ラリック美術館

René Lalique
Car Mascot "Comet"
1925
Glass
H6.5×W9.5×D5.0cm(without base)
Lalique Museum, Hakone

2-47
ルネ・ラリック
カーマスコット「勝利の女神」
1928年
ガラス
H14.0×W24.5×D4.5cm
箱根ラリック美術館

René Lalique
Car Mascot "Victory"
1928
Glass
H14.0×W24.5×D4.5cm
Lalique Museum, Hakone

2-48
ルネ・ラリック
テーブルランプ「ノルマンディー」
1935年
ガラス、ブロンズ
Diam.10.0cm×H21.0cm
箱根ラリック美術館

René Lalique
Table Lamp "Normandie"
1935
Glass, Bronze
Diam.10.0cm×H21.0cm
Lalique Museum, Hakone

2-49
ルネ・ヴァンサン
ポスター「ヴォワザン」
1925年頃
リトグラフ／紙
H50.0×W66.0×H5.0cm（額寸）
トヨタ博物館

René Vincent
Poster "La voisin"
ca. 1925
Lithograph on paper

H50.0×W66.0×H5.0cm (frame size)
Toyota Automobile Museum

2-50
ゲブリューダ・トーネット
ウィーンチェア(No.209)
1970年[1870年]
ブナ材、籐張り、曲木
H78.0×W53.0×D55.0cm／SH45.0cm
武蔵野美術大学 美術館・図書館

Gebrüder Thonet
Vienna Chair(No.209)
1970[1870]
Beech wood, rattan, bentwood
H78.0×W53.0×D55.0cm/SH45.0cm
Musashino Art University Museum & Library

2-51
ル・コルビュジエ、ピエール・ジャンヌレ、シャルロット・ペリアン
バスキュラントチェア(No.LC1)
カッシーナ[トーネット・フレール]
1988年[1928年]
スチールパイプ、革張り
H63.0×W60.0×D68.0cm／SH31.0cm
武蔵野美術大学 美術館・図書館

Le Corbusier, Pierre Jeanneret, Charlotte Perriand
Basculant Chair(No.LC1)
Cassina [Thonet Frères]
1988[1928]
Steel, leather
H63.0×W60.0×D68.0cm/SH31.0cm
Musashino Art University Museum & Library

2-52
ル・コルビュジエ、ピエール・ジャンヌレ、シャルロット・ペリアン
シェーズロング(No.LC4)
カッシーナ[トーネット・フレール]
1975年[1928年]
スチールパイプ、スチールフラットバー、革張り
H75.0×W55.0×D156.0cm／SH28.0cm
武蔵野美術大学 美術館・図書館

Le Corbusier, Pierre Jeanneret, Charlotte Perriand
Chaise longue(No.LC4)
Cassina [Thonet Frères]
1975[1928]
Steel, leather
H75.0×W55.0×D156.0cm/SH28.0cm
Musashino Art University Museum & Library

2-53
アメデオ・モディリアーニ
ルネ
1917年
油彩／カンヴァス
H61.1×W50.2cm
ポーラ美術館

Amedeo Modigliani
Reneé
1917
Oil on canvas
H61.1×W50.2cm
Pola Museum of Art

2-54
キース・ヴァン・ドンゲン
アンヴァリッドへの道
1922年
油彩／カンヴァス
H81.9×W100.8cm
ポーラ美術館

Kees van dongen
Road to the Invalide
1922
Oil on canvas
H81.9×W100.8cm
Pola Museum of Art

2-55
キース・ヴァン・ドンゲン
ドーヴィルのノルマンディー・ホテル
1925年
油彩／カンヴァス
H46.2×W38.4cm
ポーラ美術館

Kees van dongen
The Normandy Hotel at Deauville
1925
Oil on canvas
H46.2×W38.4cm
Pola Museum of Art

2-56
キスリング
ファルコネッティ嬢
1927年
油彩／カンヴァス
H129.9×W89.3cm
ポーラ美術館

Kisling
Mlle Falconetti
1927
Oil on canvas
H129.9×W89.3cm
Pola Museum of Art

2-57
ラウル・デュフィ
パリ
1937年
油彩／カンヴァス
4面、各面H190.0×W49.8cm
ポーラ美術館

Raoul Dufy
Paris
1937
Oil on canvas
Four panels: each panel, H190.0×W49.8cm
Pola Museum of Art

CHAPTER 3

3-01
マルセル・デュシャン監督、マン・レイ撮影
映画「アネミック・シネマ(貧血症の映画)」
1925年(1926年公開)

白黒 サイレント 約5分
東京富士美術館

Marcel Duchamp(Director),
Man Ray(Cinematographer)
Anémic Cinéma
1925(Screening: 1926)
Black and white, silent, about 5 mins
Tokyo Fuji Art Museum

3-02
マン・レイ
破壊されないオブジェ
1923年[1975年]
メトロノーム、写真
H22.2×W11.5×D11.5cm
東京富士美術館

Man Ray
Indestructible Object
1923[1975]
Metronome, photograph
H22.2×W11.5×D11.5cm
Tokyo Fuji Art Museum

3-03
マン・レイ
贈り物
1921年[1974年]
アイロン、鋲
H16.5×W10.0×D8.2cm
水戸野孝宣蔵

Man Ray
Gift
1921[1974]
Iron, tacks
H16.5×W10.0×D8.2cm
Collection of Mitono Takanobu

3-04
数理モデル「楕円関数」
石膏
H21.0×W30.2×D20.5cm
東京大学総合研究博物館

Mathematical Model "Elliptic Function"
Plaster
H21.0×W30.2×D20.5cm The University Museum,
the University of Tokyo

3-05
数理モデル「クンマー曲面」
石膏
H26.0×W16.5×D14.5cm
東京大学総合研究博物館

Mathematical Model
"Kummer Surface with 8 Real Double Points"
Plaster
H26.0×W16.5×D14.5cm
The University Museum, the University of Tokyo

3-06
数理モデル「三次曲面」
石膏
H14.5×W11.5×D11.5cm

東京大学総合研究博物館

Mathematical Model
"Cubic with an A1 Double Point"
Plaster
H14.5×W11.5×D11.5cm
The University Museum, the University of Tokyo

3-07
数理モデル「クエン曲面」
石膏
H16.5×W21.5×D15.0cm
東京大学総合研究博物館

Mathematical Model "Kuen Surface"
Plaster
H16.5×W21.5×D15.0cm
The University Museum, the University of Tokyo

3-08
マン・レイ
モデル・エルザ
1935年頃(ピエール・ガスマンによるモダン・プリント)
ゼラチン・シルバー・プリント
【イメージサイズ】H31.9×W26.0cm
【シートサイズ】H38.3×W27.9cm
水戸野孝宣蔵

Man Ray
Model Elsa
ca. 1935　Gelatin silver print
Image: H31.9×W26.0cm
Sheet: H38.3×W27.9cm
Collection of Mitono Takanobu

3-09
エルザ・スキャパレッリ(デザイン:レオノール・フィニ)
香水瓶「ショッキング」
スキャパレッリ社　1937年
ガラス
H13.2×L4.5×W6.2 cm (台付き)
ポーラ美術館

Elsa Schiaparelli (Design: Leonor Fini)
Perfume Bottle "Shocking"
Schiaparelli　1937
Glass
H13.2cm (stage) L4.5×W6.2cm
Pola Museum of Art

3-10
エルザ・スキャパレッリ
香水瓶「スリーピング」
スキャパレッリ社　1938年
ガラス
H6.9×L1.2×W4.5cm
ポーラ美術館

Elsa Schiaparelli
Perfume Bottle "Shocking", Elsa Schiaparelli
Schiaparelli　1938
Glass
H6.9×L1.2×W4.5cm
Pola Museum of Art

3-11
エルザ・スキャパレッリ
香水瓶「スリーピング」
スキャパレッリ社　1938年
ガラス　(ボトル製作: バカラ社製)
Diam.5.9cm×H13.6cm
ポーラ美術館

Elsa Schiaparelli
Perfume Bottle "Sleeping"
Schiaparelli　1938
Glass (Bottle: Baccarat)
Diam.5.9cm×H13.6cm
Pola Museum of Art

3-12
マックス・エルンスト画、ポール・エリュアール著
『不滅者の不幸』
1922年
コラージュにもとづく21点の複製版画による挿絵本
H24.8×W18.9cm
ポーラ美術館

Max Ernst(ill.), Paul Eluard(Text)
Les malheurs des immortels
1922
Illustrated book with 21 line blocks after collages
H24.8×W18.9cm
Pola Museum of Art

3-13
マックス・エルンスト
『博物誌』
1926年
コロタイプ／紙
H52.0×W35.0cm
ポーラ美術館

Max Ernst
Histoire naturelle
1926
collotype on paper
H52.0×W35.0cm
Pola Museum of Art

3-14
マックス・エルンスト
『百頭女』
1929年
コラージュにもとづいた147点の複製版画による挿絵本
H25.3×W19.8×D2.4cm (装丁)
ポーラ美術館

Max Ernst
La Femme 100 têtes
1929
Illustrated book with 147 reproductions after collages
H25.3×W19.8×D2.4cm (bounded)
Pola Museum of Art

3-15
マックス・エルンスト
『慈善週間、または七大元素』
1934年
コラージュにもとづいた182点の複製版画による5巻の
挿絵本
H29.0×W23.0cm
ポーラ美術館

Max Ernst
Une semaine de bonté ou les sept éléments
capitaux
1934
five volumes of illustrated book with 182
reproductions after collages
H29.0×W23.0cm
Pola Museum of Art

3-16
ジョルジョ・デ・キリコ
ヘクトールとアンドロマケー
1930年頃
油彩／カンヴァス
H92.2×W73.0cm
ポーラ美術館

Giorgio de Chirico
Hector and Andromache
ca. 1930
Oil on canvas
H92.2×W73.0cm
Pola Museum of Art

3-17
サルバドール・ダリ
姿の見えない眠る人、馬、獅子
1930年
油彩／カンヴァス
H60.6×W70.4cm
ポーラ美術館

Salvador Dalí
Invisible Sleeper, Horse, and Lion
1930
Oil on canvas
H60.6×W70.4cm
Pola Museum of Art

3-18
ルネ・マグリット
生命線
1936年
油彩／カンヴァス
H73.1×W54.1cm
ポーラ美術館

René Magritte
The Line of Life
1936
Oil on canvas
H73.1×W54.1cm
Pola Museum of Art

3-19
ルネ・マグリット
水滴
1948年
油彩／カンヴァス
72.9×60.2cm
ポーラ美術館

René Magritte
The Drop of Water
1948
Oil on canvas
72.9×60.2cm
Pola Museum of Art

3-20
ポール・デルヴォー
ヴィーナスの誕生
1937年
油彩／カンヴァス
H65.4×W81.8cm
ポーラ美術館

Paul Delvaux
The Birth of Venus
1937
Oil on canvas
H65.4×W81.8cm
Pola Museum of Art

3-21
ポール・デルヴォー
トンゲレンの娘たち
1962年
油彩／カンヴァス
H161.0×W251.7cm
ポーラ美術館

Paul Delvaux
The Young Ladies of Tongeren
1962
Oil on canvas
H161.0×W251.7cm
Pola Museum of Art

3-22
ハンス・ベルメール
人形
1936年
10点のゼラチン・シルバー・プリント、ボードに貼付
各イメージ: H12.1×W8.0cm
各マウント: H16.2×W12.4cm
個人蔵

Hans Bellmer
La poupée
1936
10 gelatin silver prints, each mounted to thin board, disbound
Each image: H12.1×W8.0cm
Each mount: H16.2×W12.4cm
Private Collection

CHAPTER 4

4-01
杉浦非水
ポスター「東洋唯一の地下鉄道 上野浅草間開通」
発行: 東京地下鉄道株式会社
1927年（昭和2）
リトグラフ、オフセット／紙
H91.4×W62.2cm
愛媛県美術館

Sugiura Hisui
Poster "Asia's First Subway Begins
Operation between Ueno and Asakusa"
Published by Tokyo Underground Railway Company
1927
H91.4×W62.2cm
The Museum of Art, Ehime

4-02
杉浦非水
ポスター「東洋唯一の地下鉄道 上野浅草間開通」
発行: 東京地下鉄道株式会社
1927年（昭和2）
リトグラフ、オフセット／紙
H91.8×W62.1cm
個人蔵

Sugiura Hisui
Poster "Asia's First Subway Begins
Operation between Ueno and Asakusa"
Published by Tokyo Underground Railway Company
1927
Lithograph and offset on paper
H91.8×W62.1cm
Private Collection

4-03
杉浦非水
ポスター「新宿三越落成 十月十日開店」
発行: 三越
1930年（昭和5）
リトグラフ、オフセット／紙
H108.2×W76.5cm
愛媛県美術館

Sugiura Hisui
Poster "Shinjuku Mitsukoshi Completed,
opens October 10"
Published by Mitsukoshi 1930
Lithograph and offset on paper
108.2×76.5cm
The Museum of Art, Ehime

4-04
杉浦非水
ポスター「上野地下鉄ストア」
発行: 東京地下鉄道株式会社
1931年（昭和6）
リトグラフ／紙
H94.5×W64.3cm
愛媛県美術館

Sugiura Hisui
Poster "Ueno Subway Store"
Published by Tokyo Underground Railway Company
1931
Lithograph on paper
H94.5×W64.3cm
The Museum of Art, Ehime

4-05
杉浦非水
ポスター「萬世橋まで延長開通」
発行: 東京地下鉄道株式会社
1930年（昭和5）
リトグラフ、オフセット／紙
H31.1×W63.4cm
愛媛県美術館

Sugiura Hisui
Poster "Service Extended to Mansei-bashi,
Tokyo Subway"
Published by Tokyo Underground Railway Company
1930
Lithograph and offset on paper

H31.1×W63.4cm
The Museum of Art, Ehime

4-06
杉浦非水
ポスター「ヤマサ醤油」
発行: 濱口儀兵衞商店
1920年代（大正後期）
印刷／紙
H90.4×W 59.9cm
個人蔵

Sugiura Hisui
Poster "Yamasa Soy Source"
Published by Hamaguchi Gihei Store
1920s (Late Taisho era)
H90.4×W59.9cm
Private Collection

4-07
杉浦非水
ポスター「萬世橋まで延長開通 東京地下鉄道」
発行: 東京地下鉄道株式会社
1929年（昭和4）頃
リトグラフ／紙
H91.3×W61.8cm
個人蔵

Sugiura Hisui
Poster "Service Extended to Mansei-bashi,
Tokyo Subway"
Published by Tokyo Underground Railway Company
ca. 1929
Lithograph on paper
H91.3×W61.8cm
Private Collection

4-08
杉浦非水
ポスター「帝都復興と東京地下鉄道」
発行: 東京地下鉄道株式会社
1930年（昭和5）
リトグラフ／紙
H91.4×W62.0cm
個人蔵

Sugiura Hisui
Poster "The Reconstruction of the Imperial
Capital and Tokyo Subway"
Published by Tokyo Underground Railway Company
1930
Lithograph on paper
H91.4×W62.0cm
Private Collection

4-09
杉浦非水
ポスター「東京地下鉄道 雷門直営食堂 地下鉄
上野ストア」（校正刷）
発行: 東京地下鉄道株式会社
1930年（昭和5）頃
リトグラフ、オフセット／紙
H94.4×W64.8cm
個人蔵

Sugiura Hisui
Poster "Tokyo Subway; Ueno Subway

Store" (Proof print)
Published by Tokyo Underground Railway Company
ca. 1930
Lithograph and offset on paper
H94.4×W64.8cm
Private Collection

4-10
杉浦非水
ポスター「東京地下鉄道 萬世橋神田駅延長開
通」(校正刷)
発行: 東京地下鉄道株式会社
1931年(昭和6)頃
リトグラフ／紙
H95.5×W65.5cm
個人蔵

Sugiura Hisui
Poster "Tokyo Subway; Service Extended from
Mansei-bashi to Kanda-station"(Proof print)
Published by Tokyo Underground Railway Company
ca. 1931
Lithograph on paper
H95.5×W65.5cm
Private Collection

4-11
杉浦非水
『三越』第17巻第7号
発行: 三越呉服店 1927年(昭和2)6月
雑誌(表紙)
H26.0×W38.1cm
個人蔵

Sugiura Hisui
Mitsukoshi vol.17, no.7
Published by Mitsukoshi Gofukuten June 1927
Magazine cover
H26.0×W38.1cm
Private Collection

4-12
杉浦非水
『三越』第18巻第4号 表紙「花下」
発行: 三越呉服店 1928年(昭和3)4月
雑誌(表紙)
H26.0×W38.4cm
個人蔵

Sugiura Hisui
Mitsukoshi vol.18, no.4
Published by Mitsukoshi Gofukuten April 1928
Magazine cover
H26.0×W38.4cm
Private Collection

4-13
杉浦非水
『三越』第22巻第5号 表紙「初夏」
発行: 三越 1932年(昭和7)5月
雑誌(表紙)
H25.9×W38.3cm
個人蔵

Sugiura Hisui
Mitsukoshi vol.22, no.5
Published by Mitsukoshi May 1932
Magazine cover

H25.9×W38.3cm
Private Collection

4-14
杉浦非水
『三越』第22巻第10号 表紙「月暈」
発行: 三越 1932年(昭和7)10月
雑誌(表紙)
H26.0×W38.5cm
個人蔵

Sugiura Hisui
Mitsukoshi vol.22, no.10
Published by Mitsukoshi October 1932
Magazine cover
H26.0×W38.5cm
Private Collection

4-15
杉浦非水
『三越』第22巻第11号
発行: 三越呉服店、三越 1932年(昭和7)11月
雑誌(表紙)
H25.7×W38.2cm
愛媛県美術館

Sugiura Hisui
Osaka Mitsukoshi vol.22, no.11
Published by Mitsukoshi Gofukuten November
1932
Magazine cover
H25.7×W38.2cm
The Museum of Art, Ehime

4-16
杉浦非水
『大阪の三越』第2年第4号
発行: 三越大阪支店 1926年(大正15)4月
雑誌(表紙)
H22.4×W39.3cm
個人蔵

Sugiura Hisui
Osaka Mitsukoshi vol.2, no.4
Published by Mitsukoshi Osaka Branch April 1926
Magazine cover
H22.4×W39.3cm
Private Collection

4-17
杉浦非水
『大阪の三越』第2年第7号
発行: 三越大阪支店 1926年(大正15)7月
雑誌(表紙)
H22.1×W39.3cm
個人蔵

Sugiura Hisui
Osaka Mitsukoshi vol.2, no.7
Published by Mitsukoshi Osaka Branch July 1926
Magazine cover
H22.1×W39.3cm
Private Collection

4-18
杉浦非水
『大阪の三越』第2年第9号
発行: 三越大阪支店 1926年(大正15)9月
雑誌(表紙)

H22.2×W39.4cm
個人蔵

Sugiura Hisui
Osaka Mitsukoshi vol.2, no.9
Published by Mitsukoshi Osaka Branch
September 1926
Magazine cover
H22.2×W39.4cm
Private Collection

4-19
杉浦非水
『大阪の三越』第5年第1号 表紙「鏡を見るク
レオパトラ」
発行: 三越大阪支店 1929年(昭和4)1月
雑誌(表紙)
H25.5×W43.9cm
個人蔵

Sugiura Hisui
Osaka Mitsukoshi vol.5, no.1
Published by Mitsukoshi Osaka Branch
January 1929
Magazine cover
H25.5×W43.9cm
Private Collection

4-20
杉浦非水
『大阪の三越』第5年第5号
発行: 三越大阪本店 1929年(昭和4)5月
雑誌(表紙)
H25.5×W44.0cm
愛媛県美術館

Sugiura Hisui
Osaka Mitsukoshi vol.5, no.5
Published by Mitsukoshi Osaka Main Store
May 1929
Magazine cover
H25.5×W44.0cm
The Museum of Art, Ehime

4-21
杉浦非水
『大阪の三越』第6年第5号 表紙「燕の歌」
発行: 三越大阪支店 1930年(昭和5)5月
雑誌(表紙)
H26.2×W38.4cm
個人蔵

Sugiura Hisui
Osaka Mitsukoshi vol.6, no.5
Published by Mitsukoshi Osaka Branch
May 1930
Magazine cover
H26.2×W38.4cm
Private Collection

4-22
杉浦非水
『東京』第1巻第2号
発行: 実業之日本社 1924年(大正13)10月
雑誌(表紙)
H22.1×W31.5cm
個人蔵

Sugiura Hisui
Tokyo October vol.1. no.2
Published by Jitsugyo no Nihon Sha, Ltd.
October 1924
Magazine cover
H22.1×W31.5cm
Private Collection

4-23
杉浦非水
『東京』第1巻第4号
発行: 実業之日本社
1924年(大正13)12月
雑誌(表紙)
H22.8×W32.6cm
個人蔵

Sugiura Hisui
Tokyo vol.1, no.4
Published by Jitsugyo no Nihon Sha, Ltd.
December 1924
Magazine cover
H22.8×W32.6cm
Private Collection

4-24
杉浦非水
『東京』第2巻第4号
発行: 実業之日本社　1925年(大正14)4月
雑誌
H22.9×W32.5cm
個人蔵

Sugiura Hisui
Tokyo vol.2, no.4
Published by Jitsugyo no Nihon Sha, Ltd.
April 1925
Magazine cover
H22.9×W32.5cm
Private Collection

4-25
杉浦非水
『アフィッシュ』第1年第1号
発行: 七人社　1927年(昭和2)7月
雑誌
H31.0×W23.0cm
愛媛県美術館

Sugiura Hisui
Affiches, vol.1, no.1
Published by Shichininsha　July 1927
Magazine
H31.0×W23.0cm
The Museum of Art, Ehime

4-26
杉浦非水
『非水創作図案集』
発行: 文雅堂　1926年(大正15)
各H36.5×W27.5cm
愛媛県美術館

Sugiura Hisui
Collection of Original Designs by Hisui
Published by Bungado　1926
Each H36.5×W27.5cm
The Museum of Art, Ehime

4-27
ポスター「スクーター」
発行: 中央貿易株式会社　1920年代
リトグラフ／紙
H54.6×W79.2cm
京都工芸繊維大学美術工芸資料館

Poster "Scooter"
Published by Chuo Boeki Co., Ltd.　1920s
Lithograph on paper
H54.6×W79.2cm
Museum and Archives, Kyoto Institute of
Technology
AN.4516

4-28
ポスター「ヱビスビール」
発行: 大日本麦酒株式会社
1930年(昭和5)頃
リトグラフ／紙
H92.5×W61.5cm
京都工芸繊維大学美術工芸資料館

Poster "Yebisu Beer"
Published by Dainippon Beer Company　ca.1930
Lithograph on paper
H92.5×W61.5cm
Museum and Archives, Kyoto Institute of
Technology
AN.5283-02

4-29
山名文夫
ポスター「女性 十月特別号」
発行: プラトン社
1925年(大正14)頃
リトグラフ／紙
H74.4×W35.0cm
京都工芸繊維大学美術工芸資料館

Yamana Ayao
Poster "Josei, October Special Number"
Published by Platon　ca. 1925
Lithograph on paper
H74.4×W35.0cm
Museum and Archives, Kyoto Institute of
Technology
AN.5278-08

4-30
山田伸吉
ポスター「十誡」
発行: 松竹座　1925年(大正14)
リトグラフ／紙
H75.5×W34.4cm
京都工芸繊維大学美術工芸資料館

Yamada Shinkichi
Poster "Ten Commandments"
Published by Shochiku-za Theater　1925
Lithograph on paper
H75.5×W34.4cm
Museum and Archives, Kyoto Institute of
Technology
AN.2694-22

4-31
山田伸吉
ポスター「禁断の楽園」
発行: 松竹座　1925年(大正14)
リトグラフ／紙
H59.6×W29.6cm
京都工芸繊維大学美術工芸資料館

Yamada Shinkichi
Poster "Forbidden Paradise"
Published by Shochiku-za Theater　1925
Lithograph on paper
H59.6×W29.6cm
Museum and Archives, Kyoto Institute of
Technology
AN.2694-27

4-32
ポスター「御園クレーム」
発行: 伊東胡蝶園　1932年(昭和7)頃
ポーラ文化研究所

Poster "Misono Cream"
Published by Ito-Kochoen　ca.1932
POLA Research Institute of Beauty & Culture

4-33
アール・デコ風鏡台
昭和時代
木、ガラス
H75.0×W40.5×D23.5cm
ポーラ文化研究所

Dressing Table in Art Deco Style
Showa era
Wood, glass
H75.0×W40.5×D23.5cm
POLA Research Institute of Beauty & Culture

4-34
御園チタニューム粉白粉(肌色)
伊東胡蝶園　昭和初期
H3.1×Diam.7.0cm
ポーラ文化研究所

Misono Titanium Face Powder
(natural skin color)
Ito Kochoen　Early Showa era
H3.1×Diam.7.0cm
POLA Research Institute of Beauty & Culture

4-35
パピリオ 白粉箱
伊東胡蝶園　昭和初期
H3.1×Diam.7.0cm
ポーラ文化研究所

Papillio Face Powder
Ito Kochoen　Early Showa era
H3.1×Diam.7.0cm
POLA Research Institute of Beauty & Culture

4-36
パピリオ 白粉箱
伊東胡蝶園　昭和初期
H3.1×Diam.7.0cm
ポーラ文化研究所

Papillio Face Powder
Ito Kochoen   Early Showa era
H3.1×Diam.7.0cm
POLA Research Institute of Beauty & Culture

4-37
中原實
ヴィナスの誕生
1924年(大正13)
油彩／カンヴァス
H115.0×W90.0cm
東京都現代美術館

Nakahara Minoru
Birth of Venus
1924
Oil on canvas
H115.0×W90.0cm
Museum of Contemporary Art Tokyo

4-38
河辺昌久
メカニズム
1924年(大正13)
油彩・コラージュ／カンヴァス
H65.2×W53.0cm
板橋区立美術館

Kawabe Masahisa
Mechanism
1924
Oil and collage on canvas
H65.2×W53.0cm
Itabashi Art Museum

4-39
坂田一男
コンポジション
1926年(大正15)
油彩／カンヴァス
H100.4×W81.2cm
福岡市美術館

Sakata Kazuo
Composition
1926
Oil on canvas
H100.4×W81.2cm
Fukuoka Art Museum

4-40
岡本唐貴
丘の上の二人の女
1926年(大正15)
油彩／カンヴァス
H234.0×W162.0cm
東京都現代美術館

Okamoto Toki
Two Women on the Hill
1926
Oil on canvas
H234.0×W162.0cm
Museum of Contemporary Art Tokyo

4-41
古賀春江
現実線を切る主智的表情
1931年(昭和6)
油彩／カンヴァス
H111.5×W145.2cm
株式会社西日本新聞社(福岡市美術館寄託)

Koga Harue
Intellectual Expression Traversing a Real Line
1931
Oil on canvas
H111.5×W145.2cm
The Nishinippon Shimbun Co., Ltd. (Deposited in
Fukuoka Art Museum)

4-42
古賀春江
白い貝殻
1932年(昭和7)
油彩／カンヴァス
H162.1×W130.6cm
ポーラ美術館

Koga Harue
White Shell
1932
Oil on canvas
H162.1×W130.6cm
Pola Museum of Art

4-43
原弘
ポスター「大東京建築祭」(赤)
発行: 都市美協会   1935年(昭和10)
オフセット／紙
H77.4×W52.9cm
特種東海製紙株式会社

Hara Hiromu
Poster "Greater Tokyo Architecture Festival"
Published by Toshibi Kyōkai   1935
Offset on paper
H77.4×W52.9cm
Tokushu Tokai Paper Co., Ltd.

4-44
原弘
ポスター「大東京建築祭」(青)
発行: 都市美協会
1935年(昭和10)
オフセット／紙
H77.4×W52.9cm
特種東海製紙株式会社

Hara Hiromu
Poster "Greater Tokyo Architecture Festival"
Published by Toshibi Kyōkai   1935
Offset on paper
H77.4×W52.9cm
Tokushu Tokai Paper Co., Ltd.

4-45
原弘
ポスター「島津マネキン新作品展覧会」
発行: 島津製作所マネキン部   1935年(昭和10)
オフセット／紙

H46.2×W38.8cm
特種東海製紙株式会社

Hara Hiromu
Poster "Shimadzu Mannequin New Works
Exhibition"
Published by Shimadzu Corporation Mannequin
Department   1935
Offset on paper
H46.2×W38.8cm
Tokushu Tokai Paper Co., Ltd.

4-46
瑛九
フォト・コラージュ
1937年
フォト・コラージュ
11点、各H27.1×W38.0cm
個人蔵

Eikyu
Photo Collage
1937
11 photo collages, H27.1×W38.0cm (each)
Private Collection

4-47
荻野茂二監督
映画「百年後の或る日」
1933年(昭和8)
白黒 サイレント 11分
国立映画アーカイブ

Ogino Shigeji (Director)
A Day after a Hundred Years
1933
Black and white, silent, 11mins.
National Film Archive of Japan

EPILOGUE

5-01
ムニール・ファトゥミ
モダン・タイムス、ある機械の歴史
2010年
映像 11mins

Mounir Fatmi
Modern Times, a History of the Machine
2010
Video 11mins

5-02
空山基
Untitled
2023年
アクリル、デジタルプリント／カンヴァス
H197×W139.4×D4 cm

Hajime Sorayama
Untitled
2023
Acrylic, digital print on canvas
H197×W139.4×D4 cm

5-03-01
空山基
Untitled_Sexy Robot type II floating
2022年
UV硬化性樹脂、アクリル、シルバープレート、発光ダイオード、ステンレス、鉄
H270×W103×D108cm

Hajime Sorayama
Untitled_Sexy Robot type II floating
2022
UV curable resin, plexiglass, silver plating, light-emitting diode, stainless steel, steel
H270×W103×D108 cm
Courtesy of NANZUKA

5-03-02
空山基
Untitled_Sexy Robot_Space traveler
2022年
繊維強化プラスティック、UV硬化性樹脂、アクリル、シルバープレート、LEDライト、ステンレス、鉄
H250×W122×D127cm

Hajime Sorayama
Untitled_Sexy Robot_Space traveler
2022
Fiber reinforced plastic, UV curable resin, plexiglass, silver chrome spray, LED light, stainless steel, steel
H250×W122×D127cm
Courtesy of NANZUKA

5-03-04
空山基
Untitled_Sexy Robot_Space traveler
2022年
繊維強化プラスティック、UV硬化性樹脂、アクリル、シルバープレート、LEDライト、ステンレス、鉄
H250×W122×D127cm

Hajime Sorayama
Untitled_Sexy Robot_Space traveler
2022
Fiber reinforced plastic, UV curable resin, plexiglass, silver chrome spray, LED light, stainless steel, steel
H250×W122×D127cm
Courtesy of NANZUKA

5-04
ラファエル・ローゼンダール
Into Time .com
2010年（2023年スクリーンショット）
ウェブサイト
サイズ可変
ヌー・アバス蔵

Rafaël Rozendaal
Into Time .com
2010
(Screenshot from 2023)
Website
Dimensions variable
Collection of Nur Abbas
Courtesy of Takuro Someya Contemporary Art

5-05
ラファエル・ローゼンダール
Into Time 23 10 05
レンチキュラー
H300×W200cm

Rafaël Rozendaal
Into Time 23 10 05
2023
Lenticular
H300×W200cm
Courtesy of Takuro Someya Contemporary Art

5-06
ラファエル・ローゼンダール
Into Time 23 10 06
2023年
レンチキュラー
H300×W202cm

Rafaël Rozendaal
Into Time 23 10 06
2023
Lenticular
H300×W202cm
Courtesy of Takuro Someya Contemporary Art

5-07
ラファエル・ローゼンダール
Into Time 23 10 07
2023年
レンチキュラー
H300×W202cm

Rafaël Rozendaal
Into Time 23 10 07
2023
Lenticular
H300×W202cm
Courtesy of Takuro Someya Contemporary Art

主要参考文献 | Selected Bibliography

- *Les Année "25": Art Déco / Bauhaus / Stijl / Esprit Nouveau* [Exh.Cat.] Paris: Musée des art décoratifs, 1966.
- K.G. Pontus Hultén, *The Machine: As Seen at the End of the Mechanical Age* [Exh. Cat.] New York: Museum of Modern Art, 1968.
- *The Machine Age in America, 1918-1941* [Exh. Cat.] New York: Brooklyn Museum, New York: Brooklyn Museum in association with Abrams, 1986.
- Marcilhac Félix, *Réne Lalique 1860-1945: maître-verrier: analyse de l'oeuvre et catalogue raisonné*, Paris: Amateur, 1989.
- 伊藤俊治『機械美術論 もうひとつの20世紀美術史』東京:岩波書店、1991年。
- 『東京都庭園美術館資料第21輯 カッサンドル展』(展覧会カタログ)東京:東京都庭園美術館、東京:財団法人東京都文化振興会、1991年。
- Georges Bauquier, *Fernand Léger: catalogue raisonné 1920-1924*, Paris: Adrien Maeght, 1992.
- 五十殿利治「メカニズムとモダニズム:大正期新興美術運動から昭和初期のモダニズムへ(その一)」『藝叢』第10号、1993年。
- 『キュビスムの巨匠 レジェ展』(展覧会カタログ)東京:三越美術館・新宿;奈良:奈良県立美術館;高松:高松市美術館;Biot: Musée National Fernand Léger、東京:朝日新聞社、1993年。
- *Fernand Léger* [Exh. Cat.] Paris: Centre Georges Pompidou; Madrid: Museo Nacional Centro de Arte Reina Sofia; New York: Museum of Modern Art, 1997.
- 西村美香「1920年代日本の映画ポスター:松竹合名社山田伸吉の作品について」『デザイン理論』37、1998年。
- *Robert Delaunay 1906-1914 de l'impressionisme à l'abstruction* [Exh. Cat.] Paris: Centre Georges Pompidou, 1999.
- 『アール・デコと東洋 1920-30年代ーパリを夢みた時代』(展覧会カタログ)東京:東京都庭園美術館、2000年。
- *L'Ecole de paris 1904-1929* [Exh. Cat.] Musée Art Moderne Ville Paris, Paris: Paris musées, 2000.
- 天野知香『装飾／芸術:19ー20世紀のフランスにおける「芸術」の位相』東京:ブリュッケ、2001年。
- *Art Deco 1910-1939* [Exh. Cat.] London: Victoria & Albert Museum, 2003.
- 『紙上のモダニズム 1920ー30年代日本のグラフィック・デザイン』(展覧会カタログ)長泉:特種製紙総合技術研究所 Pam、2003年。
- 五十殿利治/河田明久編『クラシック・モダン—1930年代日本の芸術』東京:せりか書房、2004年。
- 『アール・デコ展ーきらめくモダンの夢』(展覧会カタログ)東京:東京都美術館;福岡:福岡市美術館;大阪:サントリー美術館『天保山』、東京:読売新聞東京本社、2005年。
- 『クルマとモード〜ベル・エポックからモダニズムへ』(展覧会カタログ)長久手:トヨタ博物館、2005年。
- 五十殿利治:菊屋吉生;滝沢恭司;長門佐季;水沢勉;野崎たみ子『大正期新興美術資料集成』東京:国書刊行会、2006年。
- 谷口英理「前衛絵画と機械的視覚メディアー古賀春江から瑛九へー」『近代画説』第15号、2006年。
- 『異邦人たちのパリ1900ー2005 ポンピドー・センター所蔵作品展』(展覧会カタログ)、国立新美術館、2007年。
- 河本真理『切断の時代—20世紀におけるコラージュの美学と歴史』東京:ブリュッケ、2007年。
- 馬場伸彦編『機械と芸術』(コレクション・モダン都市文化 第45巻)東京:ゆまに書房、2009年。
- 速水豊『シュルレアリスム絵画と日本 イメージの受容と創造』東京:日本放送出版協会 2009年。
- 『ルネ・ラリック 華やぎのジュエリーから煌めきのガラスへ』(展覧会カタログ)東京:国立新美術館、東京:東京新聞、2009年。
- 三田村哲也『アール・デコ博建築造形論—1925年パリ装飾美術博覧会の会場と展示館一』東京:中央公論美術、2010年。
- 五十殿利治編『板垣鷹穂クラシックとモダン』東京:森話社、2010年。
- 朝倉三枝『ソニア・ドローネー 服飾芸術の誕生』東京:ブリュッケ、2010年。
- 『古賀春江の全貌:新しい神話がはじまる』(展覧会カタログ)久留米:石橋美術館;葉山神奈川県立近代美術館 葉山、東京:東京新聞、2010年。
- 白政晶子編『板垣鷹穂』(美術批評家著作選集 第12巻)東京ゆまに書房、2011年。
- 河本真理『葛藤する形態—第一次世界大戦と美術』東京:人文書院、2011年。
- 『きらめく装いの美 香水瓶の世界』(展覧会カタログ)東京:東京都庭園美術館;廿日市:海の見える杜美術館;いわき:いわき市立美術館、廿日市:ロータスプラン株式会社、2010−2011年。
- 『視覚の実験室 モホイ=ナジ／イン・モーション』(展覧会カタログ)葉山:神奈川県立近代美術館 葉山;京都:京都国立近代美術館;佐倉:DIC川村記念美術館、東京:アールアンテル、2011年。
- 『Art and Air〜空と飛行機をめぐる、芸術と科学の物語 或いは、人間は如何にして天空に憧れ、飛行の精神をもって如何に世界を認識してきたか』(展覧会カタログ)青森:青森県立美術館、東京:Pヴァイン・ブックス、2012年。
- 山本友紀『フェルナン・レジェ オブジェと色彩のユートピア』横浜:春風社、2014年。
- 『東京都庭園美術館開館30周年記念 幻想絶佳:アール・デコと古典主義』(展覧会カタログ)、東京:東京都庭園美術館、2015年。
- *Man Ray: Human Equations* [Exh. Cat.] Wahington D.C.: The Phillips Collection; Copenhagen: Ny Carlsberg Glyptotek; Jersalem: The Israel Museum, Jersalem. Ostfildern: Hatje Cantz, 2015.
- *Sonia Delaunay: Les couleurs de l'abstraction* [Exh. Cat.] Paris: Musée d'Art Moderne de la Ville de Paris, 2015.
- 天野知香編『パリII—近代の相克』(西洋近代の年と芸術3)東京:竹林舎、2015年。
- 大谷省吾『激動期のアヴァンギャルド:シュルレアリスムと日本の絵画1928-1953』東京:国書刊行会 2016年。
- 『日本におけるキュビスム—ピカソ・インパクト』(展覧会カタログ)鳥取:鳥取県立博物館、埼玉:埼玉県立近代美術館,高知:高知県立美術館、2016年。
- 『Modern Beauty—フランスの絵画と化粧道具、ファッションにみる美の近代』(展覧会カタログ)箱根:ポーラ美術館、2016年。
- 澤田直編『異貌のパリ1919-1939 : シュルレアリスム、黒人芸術、大衆文化』東京:水声社、2017年。
- 五十殿利治『非常時のモダニズム:1930年代帝国日本の美術』東京:東京大学出版会 2017年。
- 『カッサンドル・ポスター展 グラフィズムの革命』(展覧会カタログ)さいたま:埼玉県立近代美術館;東京:八王子夢美術館、東京:アートインプレッション、2017年。
- 『モダン美人誕生—岡田三郎助と近代のよそおい』(展覧会カタログ)箱根:ポーラ美術館、2018年。
- 『EXOTIC × MODERN アール・デコと異境への眼差し』(展覧会カタログ)東京:東京都庭園美術館;館林:群馬県立館林美術館、2018年。
- 『時代に生き、時代を超える:板橋区立美術館コレクションの日本近代洋画 1920s—1950s』(展覧会カタログ)館林:群馬県立館林美術館、2018年。
- 『所蔵作品展 豪華客船ノルマンディー 大西洋航路最速をめざして』(展覧会カタログ)横浜:横浜みなと博物館、2018年。
- 『イメージコレクター・杉浦非水』(展覧会カタログ)東京:東京国立近代美術館、2019年。
- 『シュルレアリスムと絵画』(展覧会カタログ)箱根:ポーラ美術館、2019年。
- 『西洋美術館開館60周年記念 ル・コルビュジエ 絵画から建築へ—ピュリスムの時代』(展覧会カタログ)東京:国立西洋美術館、東京:東京新聞、2019年。
- 『杉浦非水:時代をひらくデザイン』島根:島根県立石見美術館;東京:たばこと塩の博物館;三重:三重県立美術館;福岡:福岡県立美術館;静岡:静岡市美術館;高崎:群馬県立近代美術館、東京:毎日新聞社、2021年。
- 『MOGA モダンガール クラブ化粧品・プラトン社のデザイン』京都:青幻舎、2021年。
- 『ルネ・ラリック リミックスー時代のインスピレーションをもとめて』(展覧会カタログ)東京:東京都庭園美術館、東京:左右社、2021年。
- *Art déco : France Amérique du Nord* [Exh. Cat.] Paris: Cité de l'architecture & du patrimoine, Paris: Norma, 2022.
- 『原弘と造形:1920年代の新興美術運動から』東京:武蔵野美術大学 美術館・図書館、2022年。
- 『マン・レイのオブジェ 日々是好物 | いとしきものたち』(展覧会カタログ)佐倉:DIC川村記念美術館、東京:求龍堂、2022年。
- 『交歓するモダン 機能と装飾のポリフォニー』(展覧会カタログ)豊田:豊田市美術館;石見:島根県立石見美術館;東京:東京都庭園美術館;京都:赤々舎、2022年。
- 『第33回 瑛九展 湯浅コレクション』(展覧会カタログ)東京:ときの忘れもの、2023年。
- 『100年前の未来 移動するモダニズム 1920-1930』(展覧会カタログ)葉山:神奈川県立近代美術館 葉山、山me:神奈川県立近代美術館、2023年。
- 『杉浦非水の大切なもの:初公開・知られざる戦争疎開資料』(展覧会カタログ)川越:川越市立美術館、2023年。

Copyrights

Hans Bellmer, Max Ernst, Pierre Jeanneret, Marc Lalique, Charles Loupot, René Magritte, Charlotte Perriand, Kees van Dongen: © ADAGP,Paris & JASPAR, Tokyo, 2023 B0708

Adolphe Cassandre: © www.cassandre.fr APPROVAL by the ESTATE OF A.M.CASSANDRE / JASPAR 2023 B0708

Charlie Chaplin: Modern Times Copyright © Roy Export S.A.S.

Salvador Dalí: © Salvador Dalí, Fundació Gala-Salvador Dalí, JASPAR Tokyo, 2023 B0708

Giorgio de Chirico: © SIAE, Roma & JASPAR, Tokyo, 2023 B0708

Paul Delvaux: © Foundation Paul Delvaux, Brussels-SABAM Belgium/ JASPAR 2023

Marcel Duchamp: © Association Marcel Duchamp / ADAGP, Paris & JASPAR, Tokyo, 2023 B0708

Raoul Hausmann: © ADAGP, Paris & JASPAR, Tokyo, 2023 B0708

© JASPAR, Tokyo, 2023 B0708

Hannah Höch: © VG BILD-KUNST, Bonn & JASPAR, Tokyo, 2023 B0708

Man Ray: © MAN RAY 2015 TRUST / ADAGP, Paris & JASPAR, Tokyo, 2023 B0708

Satomi Mounet: © P. Satomi

Mounir Fatmi: © Mounir Fatmi

空山基: © Hajime Sorayama, Courtesy of NANZUKA

Rafaël Rozendaal: © Rafaël Rozendaal, Courtesy of Takuro Someya Contemporary Art

Photo Credits

Abaca Press / Alamy Stock Photo (P.6 Fig. 1)

Staatliche Museen zu Berlin, Nationalgalerie / Jörg P. Anders // Hannah Höch, Schnitt mit dem Küchenmesser Dada durch die letzte Weimarer Bierbauch-Kulturepoche Deutschlands, 1919 (p.14 Fig. 3)

AMF / © bpk / Sprengel Museum Hannover / Aline Herling / Michael Herling / Benedikt Werner (p.14 Fig. 4)

Historic Collection / Alamy Stock Photo (p.16 Fig. 8)

Album / Alamy Stock Photo (p.18 Fig. 10)

Bridgeman Images (p.18 Fig. 11)

写真提供: 當摩節夫 Toma Setsuo (p.23 Fig. 1)

Photo © Kosuke Tamura (p.32 Fig. 1-2)

写真提供: 国際デザインセンター (p.59 Fig. 1-3)

Photo: © President and Fellows of Harvard College (p.62 Fig. 1)

写真提供: 大村美術館 (p.68 Fig. 1-2; p.100 Fig. 1; p.108 Fig. 5)

写真提供: 横浜みなと博物館所蔵 (p.86 Fig. 1-3)

© Taisei Corporation (p.104 D.1-3; p.160 Fig. 1)

写真提供: 国立西洋美術館資料情報センター (p.104 Fig. 2)

写真提供: 加藤道夫 (p.104 Fig. 4)

© FLC (p.105 Fig. 5; p.106 Fig.7; p. 109 Fig. 8)

写真提供: 東京都庭園美術館 (p.137 Fig. 1-2)

Photo: National Crafts Museum / DNPartcom (p.137 Fig. 3)

© Archiv L. Herrmann (p.160 Fig. 2)

Photo: MOMAT / DNPartcom (p.171 Fig. 1)

酒井孝芳 (Cat. no. 1-06)

亀村俊二 (Cat. no. 1-07; 1-32; 1-33; 2-04; 2-05; 2-53; 2-54; 2-55; 2-57; 3-16; 3-17; 3-18; 3-19; 3-20; 3-21; 4-42)

武藤滋生 (Shigeo Muto) (Cat. no. 1-10; 1-11; 1-24; 1-25; 1-27; 1-34; p.56 Fig. 1, 2-16~2-27; 2-30~2-42; 2-44; 2-45; 3-09~3-15; D-3-01; 3-22; 4-34~4-36; D-4-08~D-4-11)

Photo ©東京大学総合研究博物館／上野則宏撮影 (Cat. no. 1-14~1-15)

矢沢一之 (Cat. no. 2-56)

© 東京富士美術館イメージアーカイブ/DNPartcom (Cat. no. 3-01; 3-02)

画像提供: 国立映画アーカイブ (Cat. no. 4-47)

Photo © Mounir Fatmi (Cat. no. 5-01)

Shigeru Tanaka (Cat. no. 5-02, 5-03)

Photo: Rafaël Rozendaal (Cat. no. 5-04)

Photo: 中川周 Shu Nakagawa (Cat. no. 5-07)

本書は、
「モダン・タイムス・イン・パリ 1925―機械時代のアートとデザイン」展の
公式図録兼書籍として刊行されました。

執筆　河本真理(日本女子大学 教授)
　　　千葉真智子(豊田市美術館 学芸員)
　　　白政晶子(美術史家・日本近代美術研究)
　　　岩﨑余帆子(ポーラ美術館 学芸課長)
　　　東海林洋(ポーラ美術館 学芸員)
　　　山﨑菜未(ポーラ美術館 学芸員)

編集　ポーラ美術館学芸部、古屋歴(青幻舎)
翻訳　クリストファー・スティヴンズ
デザイン　前田豊、林智凱、磯野正法(氏デザイン)

This catalogue is published in conjunction with the exhibition:
Modern Times in Paris 1925: Art and Design in Machine-age.

Authors　Komoto Mari (Professor, Japan Women's University)
　　　　　Chiba Machiko (Curator, Toyota Municipal Museum of Art)
　　　　　Shiromasa Akiko (Researcher, Japanese Modern Art history)
　　　　　Iwasaki Yoko (Chief Curator, Pola Museum of Art)
　　　　　Shoji Yoh (Curator, Pola Museum of Art)
　　　　　Yamabana Nami (Curator, Pola Museum of Art)

Edited by　Pola Museum of Art, Furuya Ayumi (Seigensha)
Translation Christopher Stephens
Design　Maeda Yutaka, Lin Chihkai, Isono Masanori (ujidesign)

モダン・タイムス・イン・パリ 1925
機械時代のアートとデザイン
Modern Times in Paris 1925
Art and Design in the Machine-age

発行日　2024年1月25日 初版発行

編著　ポーラ美術館

発行者　片山誠
発行所　株式会社青幻舎
〒604-8136 京都市中京区梅忠町9-1
TEX：075-252-6766
FAX：075-252-6770
https://www.seigensha.com

印刷・製本　株式会社山田写真製版所